U0129277

台客著

文學叢刊

窗外的風景

文史哲出版社印行

國家圖書館出版品預行編目資料

窗外的風景 / 台客著 .--初版 -- 臺北市：
文史哲，民 104.11
　　頁；　　公分（文學叢刊；358）
ISBN 978-986-314-280-5（平裝）

855   104025001

文 學 叢 刊　₃₅₈

窗 外 的 風 景

著　　者：台　　　　　　　　客
出 版 者：文 史 哲 出 版 社
　　　　http://www.lapen.com.tw
　　　　e-mail:lapen@ms74.hinet.net
登記證字號：行政院新聞局版臺業字五三三七號
發 行 人：彭　　　正　　　雄
發 行 所：文 史 哲 出 版 社
印 刷 者：文 史 哲 出 版 社
　　　　臺北市羅斯福路一段七十二巷四號
　　　　郵政劃撥帳號：一六一八○一七五
　　　　電話 886-2-23511028・傳真 886-2-23965656

定價新臺幣五○○元

二○一五年（民一○四）十一月初版

名畫家蔡信昌繪於山東煙台海悅酒店旅次

情眞而語直

── 台客《窗外的風景》序

王 常 新

　　台客，我早已把他視作老友了。因為一九九三年，我曾接待他到武漢訪問，並邀他到寒舍小敘。一九九五年，我訪問臺灣，他也邀我到他的鶯歌家中談詩。在他主編的《葡萄園》詩刊上，我發表了大約三十篇文章。這樣的交情，他邀我作序，當然是義不容辭，欣然從命。至於不得要領的惶恐，也只好忍受了。

　　《窗外的風景》是台客的第二本散文集。收入的一百餘篇文章，是從近四十多年來所寫兩百餘篇文章中精選出的，可見他對自己的要求相當嚴格。這些文章，根據屬性，分為四輯，即「寰宇履痕」、「鄉景鄉情」、「窗外風景」、「感悟生活」。陳柱在「中國散文史」中論及淺易派之散文時說：「**真切則文字雖淺易而意味實深長，此實為最高之文境。**」我看台客《窗外的風景》中的大部分散文，是達到了這一境界的。

　　巴金在《春蠶》一書中說：他晚年的文章「**掏出來給讀者的仍然是那顆燃燒的心**」。讀者為什麼喜歡讀巴金的作品，

不正是因為他的書都是「掏心」之作嗎?古人說「真者，精誠之至也。不精不誠，不能動人。」宋人李塗在《文章精義》中說:「文章不難於巧而難於拙，不難於曲而難於直，不難於細而難於粗，不難於華而難於質。」我讀台客的《窗外的風景》，深受感動。這證明他的作品，是真性情的流露，他也像巴金一樣，是在向讀者「掏心」。他的語言雖「拙、直、粗、質」，但意味實深長。

　　台灣師範大學的鄭明娳教授，在她的「教授的底牌—我怕計程車」中說:「實在說，坐上計程車，大部分的感覺跟搭上賊船差不多」。我自己也有坐計程車，被司機故意繞道騙錢的經驗。難道個個司機都「人心不古」嗎？不是的。台客在「計程車司機的溫馨情」中給我們介紹了一位好司機。當車資表跳到 28 元（人民幣）時，雖然塞車並不嚴重，繞道也情非得已，作者要給他 30 元，他卻堅持只收 20 元。作者寫他的感受是:

> 下了車，雖然十一月的成都街頭已有些寒意，但我的內心卻十分溫暖，因為坐了幾十年的計程車，從來沒有碰過這麼體貼客人的司機。尤其我又是遠從彼岸海峽千里而來，對這個城市完全陌生。

　　讀到這裏，我們對這兩人的真誠，一定會留下深刻的印象吧。在這裡，台客既未用聲色濃烈的華麗辭藻，也沒有反覆詠嘆。他只是敞開肺腑，用普通的口語，直接陳述，卻照樣深深地感動了我們。

有一次，台客因疏忽出門未帶金錢而消費，終於面臨難堪局面，被老闆責備為「白吃」。他的心理活動是：

> 想想自己雖不富有，但還不至於吃個飯還想賴賬吧！但現實社會百態，確有少數無賴專門以各種手段白吃白喝，若老闆對每個白吃白喝者都面慈心善，那他的生意也很難維持下去，不是嗎？（「白吃心情」）

在趕緊回家拿錢再返回面店贖回手錶後，作者感嘆道：「吃這一頓晚餐真是屈辱與折磨啊！」「但能怪誰呢？怪自己唄。」在這裡，作者根據散文表現主觀情思的特徵，通過出於善良本性的內心獨白，讓我們感受到他那嚴以律己的真誠和寬以待人的敦厚，從而油然生起親切之感。

「迢迢返鄉路」感人肺腑。文中的廖化即作者的化名。他基於兩岸同胞互助之情誼，於心不忍，應大陸一位從來沒有見過面的文友老傅所請，幫他探聽父親的消息。然後又秉持著助人為樂、施比受更有福的心情，克服了畏難情緒，為老傅跑了許多單位，幫老傅辦好赴台奔喪手續。在老傅無法奔喪後，又連續三年，每逢清明節代老傅前往忠靈塔拈香祭拜。最後又好人做到底，將老傅父親的骨灰罈攜往大陸，當場交給老傅。不久老傅寫信給他說：「由於『隔海』的原因，大陸兒子無法履行的責任，居然由在台的文友加兄弟的廖化完成。廖化弟啊，我崇敬的兄弟，你的行徑，不是親情勝似親情……」台客的真情換來了老傅的真情，他的善良，值得老傅，也值得我們禮贊。台客在文中寫出了他「想不到這正

是往後一連串麻煩的開始」，寫出了「天哪！兩岸制度不同，如何申辦手續我一無所知，加以自己除了每天要上班工作外，業餘還要編輯一本刊物，十分忙碌，哪有時間幫忙呢？但既已有了開始，又豈能中途棄之不顧？」由於敞開心扉向讀者交代了這些「兩難的沉思」，所以更能打動人心。

　　總的來說，台客的這些散文，是用通俗的口語，向讀者捧出他的一顆赤子之心，就像和親朋好友圍爐閒話一般，沒有欲言又止，沒有轉彎抹角，沒有雕琢粉飾；有的是樸素、自然、明晰、流暢。我讀了之後，獲得了極大的美感享受。

　　台客在《後記》中說他的散文，「屬於一些日常生活中的所見、所聞、所思後之感悟。閱讀這些文章，讀者不需正經危坐，只要以輕鬆心情對之。有空時隨手翻閱，能讀幾篇就算幾篇。有所收穫固然好，沒有收穫也可一笑置之。」我相信台客的話，讓我們幫助他，實現他出書的目的吧。

　　是為序。

＊本文作者係武漢華中師範大學退休教授，名詩評家。

四時花開勿悲喜

── 台客散文集《窗外的風景》序

胡　爾　泰

　　明有徐霞客，今有一台客！

　　古今中外喜歡旅行的人不在少數，但是同時愛好寫作者卻不多見；喜歡舞文弄墨者所在多有，但是同時喜歡旅行者，屈指可數。喜歡遊山玩水，又好寫作者，已是少數，而能玩出樂趣、寫出名堂者，更屬鳳毛麟角。《窗外的風景》這本散文集的作者台客先生，就是其中的一位。對於有慧根的人而言，旅行與寫作是相輔相成的，因為到異邦或他鄉旅行，欣賞山光水色，參訪名勝古蹟，接觸奇風異俗，並感受異質文化的衝擊，常常給寫作帶來靈感。誠如台客在集中收錄的〈我愛旅行〉這篇文章所云：「只有經常出外旅行，汲取新知，尋找靈感，寫作才能有活水，才能寫出精彩的作品」，旨哉斯言！

　　拜科技發達、交通便捷之賜，今人旅行少了舟車勞頓之苦，多了走馬看花之樂與尋幽訪勝之趣。明末的徐霞客以雙足布履，登黃山，歷滇黔，涉楚澤，陟五台，遊八閩，歷五

年而歸，成就一部《徐霞客遊記》，卻「兩足俱廢」。台客遊歷神州，足跡遠至邊陲的蒙古、新疆和西藏，又遠涉重洋，至美加、澳洲、東南亞、土耳其、東歐、俄羅斯等地尋幽訪勝，擷風記俗，不但身體無恙，而且意氣風發，靈感泉湧。於是繼第一部散文集《童年舊憶》之後約十年，乃有第二部《窗外的風景》的問世。從這部散文集的名字來看，台客頗有盱衡寰宇、俯視人間的氣概。

《窗外的風景》分為四輯，第一輯「寰宇見聞」，收錄了31篇遊記。台客的筆法稍有異於徐霞客，不逐日記載所見所聞，亦不常描山摹水，而偏好記載旅遊途中內心受感動之處。例如，〈貼心孝順的女兒〉一文記載大陸一位女導遊如何以高價購買蔡琴演唱會的門票送給母親，以圓其夢想的故事；〈計程車司機的溫馨情〉一文，敘述成都的計程車司機因塞車而減收車資之事；「桂林旅記」裡〈阿香〉一節述說桂林水果小販阿香因為不貪不義之財，使得生意更加興隆的故事。類似此種感人之事，在這本散文集裡不時出見，這是台客散文的主要風格之一，也是台客散文吸引人的地方。（當然，集子裡也有一則藏獒主人藉機斂財的故事，此種惡行也逃不過台客的法眼）。〈九華山記遊〉一文，風格獨特，不僅描繪九華山勝景，還穿插了李白的詩句和地藏王菩薩以及虔誠信徒的故事，讀之讓人低迴不已。〈思念的島嶼—軍郵憶往〉一文，記載台客在馬祖列島擔任軍郵副局長一年的見聞，將印象深刻者綴連成文，讀起來頗有溫馨之感。

《窗外的風景》第二輯以「鄉景鄉情」為名，凡26篇，泰半書寫故鄉情事，反映了台客戀鄉（鶯歌）、懷親、思友的

情懷。它與第一輯剛好做了強烈的對比：一寫他鄉，一寫故鄉，兩者皆深入作者之心。台客以鶯歌石、龜公廟和一條老街三個景點，襯托故鄉讓他魂牽夢縈之處，加上他自己苦心經營的「空中花園」（筆者曾應邀參觀過），更深化了他對故鄉的依戀。〈童年舊憶〉以詩歌開頭，又以詩歌作收，是一篇如歌行板的散文。〈春雨〉一文描繪一場及時的春雨，使屋頂花園（作者的空中花園）的花木生機盎然，順筆勾起童年的回憶：農夫的搶水大戰。「春雨貴如油」、「春雨仍然每年下著」，這些句子使通篇散文詩意盎然！在這輯中，台客也以生花妙筆書寫人世間的興衰榮辱、悲歡離合，讀之令人心情起伏，時而高亢，時而跌宕。

　　第三輯名「窗外風景」，幾與本書同名。台客以慧眼觀察一些小動物的行為，十分逗趣！此「窗」既是一般的窗戶，又是靈魂之窗，台客嗜欲淺，天機深，所以能觀察入微，甚至心與動物通，所以能見人之所未見。〈小胖〉一文講一隻流浪的兔子如何成為台客家的「開心果」，雙方如何建立「毫無隔閡、相互信任的友誼」；〈小黃的命運〉一文講他和小黃這隻狗之間的緣份。〈小偷〉一文最令人發噱，因為文中的「小偷」不是人，而是一隻偷走大殿供桌上香蕉的松鼠。牠的偷竊行徑簡直與人相同，但模樣卻十分逗人。台客以「觀察者」（而非主人或警察）的身份，原諒了牠的行為。這讓我想到，人世間一些事情換個角度去觀察，會減少紛爭。另有一篇〈送暖天使〉談的是一位老兵返鄉的故事：台客以小說的筆法，述說他如何護送大陸詩友父親的靈骨回四川老家。他的仁行義舉，的確感人肺腑。

　　《窗外的風景》第四輯以「感悟生活」為名，裡面就述說了一些感恩的故事：小舅子每年快遞寄來的玉荷包（台灣頂級荔枝名），甜蜜在嘴裡，感激在心裡；友人在寒冬贈送的圍巾，「溫暖的不只是身體，還有內心」；作者童年時發生危難，鄰居長輩及時伸手援救，啟人以感恩之心；老丈人無意中種出來的冬瓜，蘊含了「愛心」；讓座給長者，也讓老人家心存感激。類似的故事在此輯中比比皆是，不僅感動了台客，也感動了讀者。人生多苦，需互相扶持，有時當施恩者，有時當承受者，一切順其自然，不必勉強或矜持。台客說得好：「人生就是這樣，春耕夏耘秋收冬藏。四時花開花謝，勿喜勿悲」。

　　文如其人，台客本人沈默寡言，樸實無華，因此，他的散文不尚擒章鋪藻，雕文琢句，然平淡中有雋永，淺言中有深意，讀之如荒漠中飲甘泉。職是之故，本人樂為之序。

癸巳年中元日謹識於台北

＊本文作者胡爾泰係台灣健行科技大學教授，名詩人、詩評家。

窗外的風景

目　　次

12　窗外的風景

輯一　寰宇履痕

名畫家易梅貞國畫作品

訂婚之旅

　　十二月五日上午九點許，兩輛車已整裝待發。一輛是轎車，坐了我們一家四口；另一輛是廂型車，坐了大哥、二哥及三位姪兒、女。我們一行九人今晚的目標是台南市西港區，暫借宿於我岳父家，因為隔天即是吾兒盈閔的訂婚之喜，親家遠住屏東縣林邊鄉，若一日來回，時間太趕，不得不安排兩日行程。

全體合影於南鯤身代天府廟內中庭廣場（敏君攝影）

　　出發，兩輛車上了三號高速公路一路南下，至 116K 處轉濱海公路，約再半個鐘頭抵達通宵鎮的拱天宮。下車參觀，參拜媽祖娘娘。今日是週末，拱天宮相當熱鬧，人潮滾滾。廟前廣場有外地進香團在表演神明出巡，鑼鼓喧天。我們參觀了約半個鐘頭，旋即開車繼續南下。

　　又開了約兩個鐘頭抵雲林縣台西鄉的張李莫千歲府，下車參觀並用餐。續南下，約半個多鐘頭抵嘉義布袋港，下車每人在魚市場吃了一碗蚵仔煎後，旋又上路，不久抵台南的南鯤身代天府，繞府一圈參觀。又繼續南下，終於在下午四點半抵達目的地 ── 我岳父大人的家。

　　稍微休息，下午六點一刻出發，至佳里區的一家日本料理店用餐，餐後即返回休息、就寢。

　　隔日一早七點半出發，此次加上我岳父共十個人兩輛車。車沿南二高南下，雖是星期假日，幸好沒堵車，約一個多鐘頭抵南二高的最尾端 ── 林邊鄉。下了高速公路，路旁大舅子夫婦的車已等在路邊，他們家住高雄，已先我們抵達，一起會合前往。三輛車又開了幾分鐘，即抵達親家的住宅。

　　上午九點許，訂婚儀式正式開始。新娘子先盛裝一一奉茶，然後新郎、新娘至二樓廳堂敬拜神明、祖先，新郎為新娘戴上戒指，雙方母親為新郎新娘戴上項鍊⋯⋯各項儀式完畢，外頭早已點燃喜慶禮炮，全家上下喜氣洋溢。

　　旋即大家又下樓至一樓外庭院拍照，分成好幾種組合，舉行部份或全體大合照。合影完畢由於距離前往餐廳用餐還有半個鐘頭，聽說親家在不遠處養了百來頭豬，於是大家紛

紛前往參觀。佔地一分多地的數個豬舍裡，大豬小豬分別圈養，見到陌生人來到，先是驚惶而逃，漸漸的又好奇的遠觀，最後大剌剌的躺著曬太陽，十分可愛。

　　十一點許，大家搭車前往餐廳用餐，席開近二十桌，女方的親朋好友都到了。席間有主持人介紹新郎、新娘、雙方父母，我也即席以台語朗誦了一首新詩〈一〇一的愛情〉以祝賀。宴席過半之後，新郎、新娘及雙方父母逐桌向來賓敬酒。下午二時許，宴席結束，新郎、新娘拿著裝滿喜糖的籃子在出口處送客。出了餐廳我們即開車北返，結束了兩天一夜的訂婚之旅。

（2015/12/15　補記）

出發

喜餅

左圖：奉茶

下圖：喝茶

戴上戒指

雙方父母合影

全體大合影

宴客

山南旅記

　　一次山南行，在我心中留下深刻的印記。

　　山南在何方？當我報名參加西藏旅遊時，看到行程中有安排到山南，但山南究竟在哪兒，毫無印象。翻閱西藏地圖，仔細查找研究了半天，才終於稍有了解。原來山南是指西藏位於喜馬拉雅山以南的藏南地區。面積比率雖小，卻是西藏的精華。不但氣候較溫暖濕潤，且水草豐美，湖泊眾多。此地是藏民族文化的發源地，最早建立的西藏土蕃王朝，即是以此為根據地。

　　終於要出發了，飛機從桃園機場直抵成都，次日一早再搭乘小飛機抵達海拔三千多米的林芝地區。在林芝適應了兩天，第三天搭大巴越過海拔五千多米的米拉山口抵達西藏的首府拉薩。停留拉薩期間參觀了布達拉宮、大昭寺等，旋又轉往山南地區參觀，這是此行我最盼望的。

　　由於曾在台灣的某家詩刊擔任主編工作，透過投稿關係認識了一位任職於山南某政府機構的陳姓詩友，此次好不容易抵達山南，當然不能錯過拜會的機會。在拉薩時即和他密切以手機聯繫，告知抵達的大約時間與當晚住宿旅館。果然當天下午五點許我們入住旅館不久，陳姓詩友即開車帶著他的夫人和一位年約五、六歲的寶貝兒子前來。雙方互贈詩集

和禮物，在房間內喜相逢的「侃大山」了約半個多鐘頭。由於已近晚餐集合時間，遂暫時告別，相約晚上七點半再來載我前往逛街並喝咖啡。

七點半，陳姓詩友準時抵達，上了車開約十分鐘抵達熱鬧的市集，下車後逛了一會兒來到一家叫「雅砻」的咖啡廳，進入時已有三位當地詩友相迎。一位是山南某知名雜誌主編，一位是老作家詩人，另一位則是藏族年輕詩人。雙方互贈雜誌、詩集，然後一面喝咖啡一面聊天。台灣、西藏兩地相隔遙遠，文友交流機會可說甚少。當晚五人把握機會，各自提出問題，在十分輕鬆的氛圍下交談，可說各有收穫。直到晚上十點多大家已感覺疲累，才結束返回休息。

由於在山南停留的時間僅有兩天一夜，第二天早上我們即到山南最有名的風景點 —— 雍布拉康參觀，雍布拉康建於扎西次仁山頂，是西藏第一座宮殿，由第一代藏王聶赤贊普於西元前二世紀所建。「雍布」意為母鹿，因建築的此山山勢形似母鹿而得名。「拉康」意為神殿。

當我們遊覽車抵達山腳下定點時，即有一大批當地的居民牽著馬過來做生意。騎著馬上山頂參觀，來回共收二十元人民幣。大家都覺得十分合理，於是紛紛大膽上馬前進，只見蜿蜒的山路上，一長串騎著馬兒興奮異常的「呆胞」（台胞）。騎了約一刻多鐘，抵達山頂，下了馬再爬一小段山路和樓梯，終於進入宮殿。宮殿內又分上中下好幾層，每層多隔間，空間顯得狹窄。幸好這些宮殿早已不住人，僅有一尊又一尊的聖者、菩薩坐鎮，享受每天前來到訪觀光客的香火。這些建於兩千多年前的房子，至今仍能屹立於山頂，可見當

年的建築技術已達相當水平。

　　參觀完宮殿，站在殿外的空地上向下望，視野十分遼闊，可以看到山腳下一大片綠油油的青稞等植物。據說當年藏王也是這樣張望，關心著他統治的子民呢！在宮殿前後左右張望了一會兒，感受一下天風浩蕩，五色經幡不斷隨風飄揚的宗教氛圍，隨即下了樓梯來到騎馬處，又騎馬原地返回。

　　雍布拉康藏王宮殿一遊，給我了一些感受，於是當晚在住宿的旅店中，我寫下了這首詩：

騎馬遊雍布拉康

馬蹄得得，載著一群歡樂
不疾不徐沿崎嶇小路進發
高聳的山頂上，雍布拉康
像一座巍峨巨塔筆直向天

天風浩浩，經幡飄飄
雍布拉康，居高臨下
俯視萬物，藏王
當年統治神聖的居所

而今人去樓空
只剩下佛像幾尊
駐足，日日頌念經文
夜夜聽寒風呼號

　　當日下午我們續參觀了山南地區最有名的哲古湖。哲古湖是一口雪水匯聚的高山湖泊,位於哲古鎮郊區。雖然是春夏之交的季節,由於地勢空曠,朔風仍十分野大。我們站在路邊稍高處張望,只見遠方一口清澈潔淨的湖,湖邊牛羊馬成群安靜覓食,牧人蹤影依稀。倒是兩三隻藏獒十分兇惡,不斷狂吠著。大家在高處拍攝美景,我四處走走,竟然撿到兩根已死去多時的動物腿骨,悄悄攜回台灣當作紀念。

　　返回後我也創作了這首詩:

哲古湖的風

哲古湖的風
吹得又猛又烈
我站在稍高處望遠
幾乎被吹得站不住腳

遠處一望無際草原上
成群牛羊馬安詳的吃草
牠們是這裡的原住民
無視於風勢的強勁

更遠處就是一口
神秘而又美麗的湖泊
湖心時時倒影
雅拉香布雪山的英姿

　　總之，藏源山南：一處有著眾多歷史遺跡令人驚豔的美地；一處有著雅碧河湍湍激流令人驚嘆的美地；一處有著眾多高山湖泊如天上繁星的美地；一處有著遼闊青翠草原牛羊成群的美地；一處有著純樸善良好客子民的美地。曾經，我去過；將來，我還會前往。

（本文榮獲西藏山南旅遊局舉辦
「藏源山南」有獎徵文三等獎）

海天佛國一日遊

　　位於浙江省外海的普陀山，是舟山群島一千三百餘個島嶼中的一個小島，但因風景秀麗，且是觀世音菩薩的道場，故早已馳名中外，宿有「海天佛國」之美譽。今春有幸前往一日遊，且敘所見所聞四則，以與諸君共享。

二龜聽法石

　　在由寧波一路搭車、乘船抵達後，導遊帶我們沿石階攀登，賞遊西天景區。走著走著突見一顆數百噸的巨石聳立路旁，導遊說這就是「二龜聽法石」，並引領我們從離石稍遠處的一個角度觀賞。只見巨石頂上有一小石似龜，正昂頭往前爬行並略為回首，似在召喚與等待同伴。而在此小石後方，另有一隻也正伸長著脖子

努力往上爬。其形象確實十分生動有趣。

　　傳說中這兩隻龜是東海龍王派遣前來普陀山偷聽觀音講法，因聽得太入迷，誤了歸期，遂化龜為石。導遊說有地質專家學者研究，此二石有深海貝類成分，與山上諸石不同，難道傳說為真？總之，大千世界之奇妙，就在真與不真之間，留下了空間，任人想像。

磐陀石

　　賞完了神奇的二龜聽法石，續往前行。步行約十餘分鐘，即來到了另一神奇風景點「磐陀石」。只見廣場空地上一顆數百噸重的巨石矗立，其上另負著一顆幾十噸重的大石。兩者接觸面很小，看似懸空顫危危欲傾，但卻千百年不倒。這是大自然天然巧妙形成的「風動石」平衡現象。上方的大石上刻有「磐陀石」三個紅色大字，題字者是侯繼高。侯繼高是何許人也？導遊說侯是明末抗倭寇的名將，其盛名僅略遜戚繼光。

　　導遊請我們仔細觀賞「磐陀石」三個鮮紅大字，其中竟

有兩個字有誤。「磐」字少了一「、」，而「石」字則多了一「、」，何也？導遊說這有三種說法，其一：侯將軍當年書寫時，因「磐」字的「舟」倒鉤時，鉤得太上面了，已無法再加「、」，故只好將此少了的一「、」加在「石」字中間以彌補。其二：侯將軍有意如此寫，並發願倘他日能肅清海盜與倭寇，將重回此處，改寫題字。其三：因怕此風動石不穩，特從「磐」字偷來一「、」加於「石」字間，以穩固此石。

以上三種說法，何者為侯將軍當時題字本意，因年代久遠，史書無載，已不可考。但筆者較認同第三種說法，此說法也彰顯漢字書法的學問與奧妙。

海上現臥佛

從普陀山上高處往下望，蔚藍海面上出現一座長條形小島，仔細觀賞，其造形略似仰臥的觀音，頭、腳、身具全，且造型比率恰當。

看到了這尊海上臥佛，令我不禁想起在四川樂山市岷江旁也有一尊天然臥佛，形象十分生動。且說唐朝玄宗開元年

間，一位高僧海通和尚因岷江水域經常發大水，人舟安全受到嚴重影響，遂發願於岷江旁的凌雲山棲霞峰臨江峭壁，以數十年功夫雕鑿完成了高度達 71 米的世界最高樂山大佛。這座高達兩層樓的樂山大佛，完工以來一直成為人們觀光與朝聖的對象，但十九世紀末一位遊客偶然間從岷江另一岸無意間拍下一張照片，卻發現原來整座凌雲山就似一尊臥佛，而樂山大佛正開鑿在臥佛的身體上，您說神奇不神奇？

　　台灣的新北市五股與八里之間，也有一座觀音山，據說取名觀音山也是因為整座山型從淡水河北岸遠遠望去，略似仰躺的觀音。但筆者去了幾回淡水，卻看不太出來，或許是角度或位置不對的原因吧！

南海觀音立像

普陀山東南方的龍灣崗巔，矗立有一尊高達 33 米，光耀日月，壯麗無比的南海觀音金身立像。立像站於蓮台之上，眉清目秀，面如滿月，左手捧著一個法輪，右手施無畏

印。慈藹的目光望向遠方，護佑著大千世界芸芸眾生與海上
過往船隻。

　　據說此佛像之修建經費，完全由信徒自動奉獻。而在十
多年前佛像落成舉行開光大典時，就在數千信徒聚集廣場虔
誠默唸祝禱與膜拜時，天空突現異象，一道佛光射向佛像，
好似觀世音菩薩親臨現場一般。

　　佛像的下方是一個寬敞的廣場，遊人如織，虔信者紛紛
頂禮膜拜。這和我們台灣高雄市大樹區的佛光山景象類似。
唯不同者，參觀或參拜此佛像要另購入園門票。而乘船進入
普陀山景區前，即已要一次性購買不算低的入山門票費。而
參觀佛光山則完全不需門票。筆者不禁沉思，同樣是大慈大
悲的觀世音菩薩，為何地點、國家不同，瞻仰、膜拜的代價
也有別？

　　　　　　　　　　　　　　　（『郵人天地』月刊）

貴州旅記

　　貴州省位於中國大陸西南部，面積約有台灣五倍大，是典型的喀斯特地形，全省山多而平原少。俗諺「天無三日晴，地無三里平，人無三兩銀。」即是形容貴州。貴州之風景區除黃果樹大瀑布較知名外，其餘景點以往由於交通不便旅遊不易，外人知之甚少，故它一直不是愛好旅遊者的首選。如今兩岸直航，台北、貴陽航線開通，加上由貴陽前往全省各地東西南北線的高速公路四通八達，旅遊貴州各大風景點輕而易舉。美麗的貴州喀斯特獨特地貌風景，正等待著愛好旅遊者去感受與體驗。

　　貴州的省會貴陽，位於全省的中央，故不管你要旅遊哪一條路線，都要以貴陽為起點。東西南北四條旅遊路線中，又以西南線有黃果樹等多個大瀑布以及萬峰林、地下龍宮、馬嶺河峽谷、雙乳峰等知名景點，成為初次旅遊貴州者的首選。而每年二、三月份，是油菜花盛開的季節，前往旅遊，更可隨時在公路兩旁以及特定地點，欣賞到一大片金燦燦的油菜花及滿山的桃紅李白。

黃果樹大瀑布

　　黃果樹大瀑布位於離貴陽約一百二十餘公里的安順市，是全亞洲最大的瀑布。瀑高約七十八公尺，長約一〇一公尺，可從上下前後左右六個角度觀賞，分別有不同的感受。在瀑布的後方，有一自然貫通的水帘洞，可以進入聽、觀、摸瀑布，這是全世界僅有的獨特經驗。

　　在進入園區，觀賞了園區擺設的一大段巨型盆景與奇石後，我們沿著小路走了十幾分鐘，終於遠遠看到了聞名中外的黃果樹大瀑布，它就像一張超大白色的帘幕，懸掛在天地之間。逐漸逐漸我們越走越近，終於來到它的眼前。在它的前方河流淺灘處，架設有木造觀景台，供遊客拍照與賞景。我們觀賞拍照完後，又沿著懸崖小路走到瀑布後方的水帘洞中，親自體驗與感受那隆隆震耳的飛瀑震撼。

　　由於三月尚是枯水期，故瀑布受限流水量並非壯觀。據導遊說七、八月雨季期間前來，其氣勢更增一倍。而據一位曾於二十年前來過的團員表示，當年他九月間前來時，在距離瀑布約一、二百公尺處就要穿上雨衣，可見當年流水量之大！

　　黃果樹大瀑布之形成，是由於白水河斷層的關係，除了黃果樹瀑布外，我們也到其上下游河段分別觀賞另兩個瀑布——陡坡塘瀑布和銀鏈墜潭瀑布。前一瀑布因風景秀麗，電視影集「西遊記」片頭曾在此取景；後一瀑布則因河水在其多巨石上滑溜之後墜潭，形成一張張白色巨網又似銀鏈不斷

故得名。

　　至於為何叫黃果樹瀑布，而不叫白果樹或綠果樹？原來此河段附近到處生長著一種結實纍纍的黃果小樹，因以得名。

萬峰林

　　萬峰林位於黔西南的興義縣，面積廣達數百公頃，又以馬嶺河為界，以東稱東峰林以西稱西峰林。西峰林可搭乘景區小車上山，觀賞群峰林立秀美如天上人間的景緻。而俯視群峰腳下，一大片綠油油的八卦田，田間小橋流水人家，桃紅李白處處，讓人幾疑來到魏晉時期陶淵明所述的桃花源裡。

　　萬峰林到底有沒有一萬座山峰呢？可能大大小小高高矮矮數不勝數，其實「萬」在此應是指「眾多密集」的意思。明代晚期旅遊大師徐霞客晚年曾到貴州探險，當他抵達萬峰林欣賞完後，寫下了這句感言：「天下峰林何其多，惟有此處獨成林。」成為如今萬峰林景區最佳的代言。這裡的山都是一座座秀美獨立，有些像人物、像風帆、像饅頭、像人的五指等等，總之各憑想像，增添無限趣味。

　　遊賞完了西峰林，我們又來到東峰林。此處之峰林較粗

獷密集,相對的平地的空間也較少,看完了西峰林再來看東峰林,就感覺有些索然無味。但我們來東峰林景區並不是僅看山峰,而是車子繼續盤旋而下到谷底去乘船遊湖──萬峰湖,此湖面積廣達一百六十平方公里,湖面深藏於萬峰之中,是由上千個全島半島構成的烟波浩蕩、壯闊旖旎的高峽平湖。我們在微風習習的船上享用了午餐,度過了一個愉快的午後時光。

馬嶺河峽谷

馬嶺河是南盤江北岸的一個支流,因當年造山運動與千萬年河水的切割,形成今日局面,一條又深又長的峽谷,峽谷裡遍佈奇岩怪石,並有多股瀑布水流不斷從頂端沖刷下

來，氣勢非凡。

進入園區，我們沿著石階一路往下探底，走了約十幾分鐘，終於下到河床，仰望河床距地面約一百多公尺，其景況有些類似中橫太魯閣的立霧溪。我們沿著河谷旁邊，由懸崖峭壁斧鑿而成的古棧道前行，一路欣賞河兩岸的綺麗風光。除了多股瀑布似一條條白色巨龍懸掛天空外，從谷底仰望搭建於百餘公尺上方的吊橋，簡直像一個美麗的玩具。一路走了約半個多鐘頭，我們終於走完全程，在終點處如今設有電梯，沒幾分鐘即上升到路面上，真是便利與神奇。

馬嶺河峽古地縫，由於其狹窄幽深，又有「天下第一縫」、「地球上一道美麗的疤痕」之稱。可惜我們此次前去，由於尚屬枯水期，和黃果樹瀑布一樣，無法領略到最壯觀的各種飛瀑氣勢。

雙乳峰

雙乳峰位於黔西南的貞豐縣，是典型喀斯特地貌形成的兩座山峰。從遠處觀望，恰似兩個成熟女性的乳房。當地布衣族人又稱其為「聖母峰」。地球上奇岩怪石類似雙乳者不少，但論其唯妙唯肖，僅此一家，故此雙乳峰又得到一個「天下第一奇峰」的雅號。

要欣賞雙乳峰之前，先走過一段彎彎曲曲的小路，路兩旁奇岩怪石林立，原來這裡就是竹林堡石林。走完石林拐進一條小路，又走了幾分鐘，雙乳峰即遠遠的呈現在眼前，大家趕緊前往觀景台取景。當然，在觀景台四周，金燦燦到處

盛開的油菜花，也成為我們合影的對象。

　　神奇的是，由於觀賞距離以及角度的關係，雙乳峰會呈現或高聳挺拔似二十歲少女，有些下垂類似中年或老年婦女，及至我們搭車到它們的山腳下觀賞，又甚麼也不像了。

金海雪山

　　貴州省既不靠海，春到人間似乎也無雪可賞，那麼為什麼有「金海雪山」這個名詞，到底要欣賞些什麼？這是我未到貴州旅遊前的一個小小疑問。

　　其實此次前往貴州旅遊，除了欣賞喀斯特地形的各種山水美景之外，另一個最大的誘惑點就是欣賞油菜花。而每年的二、三月是欣賞油菜花最好的季節。在我們旅遊期間，導遊多次帶我們到各種油菜花田參觀，諸如位於滇黔交界的羅平金雞嶺的梯田油菜花田，位於貞豐的一望無際的原野油菜花田等。

　　旅遊結束前一日，導遊又帶我們到位於黔東南距貴陽不遠的凱里參觀一處大型油菜花田，這裡的油菜花盛開金燦燦

景象似一片花海，而在遠處山坡同時可見一大片白茫茫似雪
的李花，故此命名「金海雪山」。

（『郵人天地』月刊）

呼倫貝爾大草原之旅

呼倫貝爾大草原，位於內蒙古東面，面積廣大，風景優美。可惜因地處偏北，受氣候影響，一年中有半年多是冰雪封凍的日子，不適合旅遊。

每逢春夏之交，冰雪消融，河水解凍，草原上百花齊放，牛羊馬成群放牧，是旅遊賞景的好時期。此時海內外遊客紛紛組團前往，為原本死寂的草原帶來一片生機。

一、海拉爾是野韭菜

海拉爾市是東蒙古的第一大城，也是前往呼倫貝爾高原旅遊的第一站。以往因無直航，從台灣前往十分不便，今年六月起開始直航，從桃園機場起飛，三個多小時即抵達海拉爾的東山機場，十分快速便捷。

　　在遊覽車上，導遊告訴我們海拉爾這個城市名稱的由來。原來海拉爾就是由蒙古語「哈利亞爾」轉音而來，而「哈利亞爾」就是「野韭菜」的意思。海拉爾市有一條海拉爾河貫穿，早年此河兩旁長滿了野韭菜。人們口耳相傳，久而久之，野韭菜竟成了此城市的名稱。

　　海拉爾市人口共約幾十萬，地域廣闊，除城區外，尚有郊區廣大的草原、湖泊等。此行我們共參觀了市區的成吉思汗廣場、鄂溫克博物館、呼倫貝爾民族博物館等。另驅車前往郊區草原一日遊，參觀金帳汗蒙古部落，拜訪牧民的家，並體驗草原上騎馬的樂趣。

二、根河市參觀馴鹿園區

　　根河市北距海拉爾市兩百六十多公里，此市也因區內有一條根河流過而得名。根河是蒙語「葛根高勒」的諧音，意為「清澈透明的河」之意。

　　根河市為內蒙古自治區最北部的旗市之一，也是中國緯度最高的縣市。地處大興安嶺腹地，森林覆蓋率達 73%，全市年平均氣溫 5 度 C，極端低溫可達零下 50 幾度 C。

　　當我們乘車五個多小時，好不容易由海拉爾抵達根河市時，導遊立即帶我們去參觀馴鹿園區。馴鹿園區位於大興安嶺森林內，設施十分簡陋，除了兩頂帳蓬外，就是一片原始森林。林內放養了幾隻馴鹿，另圍籬圈地養了一群狍子。狍子十分怕人，見人靠近即躲得遠遠的。倒是幾隻馴鹿並不畏人，見人手中拿著剛從工作人員購買的苔蘚草料，立即趨前

搶食，引起大家一片驚呼！

這些北國馴鹿，長得又高又壯。頭上兩隻角像樹枝般虯曲，兩眼外圍有一層黑圈圈，四蹄是白中滲黑，十分的特別。大家紛紛拿起相機和牠們合影，但牠們只對手中有草料的人感興趣。

除了參觀馴鹿園區，我們另也到附近的「敖魯古雅博物館」參觀，體驗幾百年來，當地鄂溫克獵民的狩獵文化、宗教及各種民族工藝品等。

三、中俄邊界城市 ── 室韋

內蒙古的室韋市隔著一條額爾古納河與俄羅斯的奧洛契市為界。當我團抵達時，導遊先帶我們搭乘汽艇遊河，再帶我們參觀兩國的界橋 ── 友誼橋。

汽艇在額爾古納河上高速破浪前進，我們站在甲板上望向俄羅斯彼岸，彼岸除一片灰濛濛的綠色及遠處稀疏房舍外，見不到半個人，令我們頗感失望。而在友誼大橋這端照相，彼端也是一片死寂，杳無人跡。

當晚我們住在市區裡的一棟「俄羅斯營地度假村」的小木屋別墅裡，木屋整體建築頗為特別，讓我們稍為體驗了一下邊界風情。

四、路過白樺林

在室韋前往額爾古納市的途中，我們巧遇一片白樺林。

　　白樺林生長在草原的黑土區，面積廣大。林區內只見一棵棵白樺樹頂天立地而立，樹頂上枝葉密密匝匝，幾乎遮閉了整個天空。

　　我們下車，沿著鋪設好的木棧道在林蔭下攝影、漫步，感覺無限美好。

　　導遊說，呼倫貝爾高原，由於地處寒帶，植物生長緩慢。這些白樺樹看似枝幹只有一個成人的大腿粗，其實它們都已歷經數十年霜雪成長史。

　　白樺樹的枝幹及樹皮都很有用處，當地蒙古人拿它們蓋房子、製作成各種生活用具等，可說對人類的貢獻良多。

五、遙望根河濕地

　　旅遊第四天下午，我們抵達額爾古納市。吃完了中飯，即趨車前往一個山頭，從山頂的木棧道，邊步行邊欣賞底下的根河濕地。

　　根河是額爾古納河的支流之一，它流到此處時，由於地形平坦開闊，形成了壯觀秀麗的河流濕地景觀。只見它像玉帶般，彎彎曲曲地在平坦的草原上流淌，由於河流的截彎取直，因而形成了多處牛軛湖鑲嵌在碧綠的草地上，像一串串寶石。

　　根河濕地公園裡，包括河流、湖泊、各種隨四季不同而變換顏色的植被。可以說除了原始林外，它包括了額爾古納所有大自然的生態系統，十分珍貴。

　　我們正沿著山間步道欣賞腳下美麗的濕地時，天空突然

下起了一陣大雨，雷聲隆隆。我們立即加快腳步，匆匆結束行程，跑回景區房屋避雨。

六、滿州里市的俄羅斯風情

旅遊的第五天，我們抵達此行最有異國風情的城市 —— 滿州里市。此市的命名也充滿異國風，原來它是由俄語「滿州里亞」音譯後省略最後一個字而成。

滿州里市的街道房屋建築，充滿濃濃的俄羅斯風格，每棟都美輪美奐，十分富有特色。導遊說，來到滿州里市，不用出國卻好像出國，確實。

滿州里市也是座邊界城市，它隔著一道「國門」與俄羅斯相通，兩國設有鐵公路相互往來，十分熱鬧。由於俄羅斯方面有很多木材運到此地加工，故在街上經常看到懸掛白牌的車子，導遊說這些都是俄羅斯開過來辦事的車子。

在滿州里市，我們參觀「國門景區」裡宏偉的「國門」第五代建築、四十一號界碑、老火車頭及戰鬥機廣場。另也參觀了一個「套娃廣場」。

套娃廣場十分寬闊，據導遊說廣場共矗立大大小小兩百多個套娃，每個套娃代表一個國家。而主體建築是一棟有著三十米高的大套娃。裡面有俄式餐廳及演藝廳，外面則以三種面相彩繪了三個巨型可愛的娃娃。

俄羅斯套娃，相信大家早都已經見過甚至買過，但你知道它是怎麼發明出來的嗎？其實它裡面蘊藏著一個感人的故事，或許當你知道了這個故事，你對它的看法與感受就有不同。

　　原來當初一位俄羅斯小男孩帶著他的妹妹在草原放牧，某次突然草原下起一場暴雨，雨水沖散了兄妹倆，小男孩僥倖獲救，妹妹卻從此不見蹤影。為了思念妹妹，小男孩每年以小刀雕刻一個象徵妹妹的小木偶日夜帶在身邊。後來木偶越來越多，攜帶不便，於是小男孩想到了一個將木偶挖空層層套住的辦法，也就是目前我們所見的「套娃」。

七、呼倫湖泛舟

　　呼倫貝爾大草原之得名，是由於境內有兩大湖泊呼倫湖和貝爾湖。呼倫湖離滿州里市只有幾十公里，第六天早上我們離開滿州里市，車子開往呼倫湖。

　　呼倫湖又名達賚湖，面積廣達兩千三百多平方公里，是內蒙古第一大湖，中國第五大內陸湖。呼倫的蒙古語是「水獺」的意思，早年因湖中盛產水獺而得名。

　　車行約一個多鐘頭，我們抵達呼倫湖乘船區，只見湖面廣闊、浩蕩。大家沿著湖岸小路走到湖水邊，再走上以鐵架搭起的簡陋木板橋到較深的水域搭乘汽艇遊湖。汽艇在水面上時而快速、時而緩慢行駛，約一刻鐘即結束行程。

　　呼倫湖泛舟，時間雖短，我們看到的景色也十分有限，但總算到此一遊，見到了它的廬山真面目，不虛此行。

八、大草原的震撼

　　呼倫貝爾大草原究竟有多大，我沒有概念，只知道我們

的遊覽車在其上開了幾天幾夜，仍脫離不了它的範圍。

六月鷹飛草長，草原上處處野草茂密孳長。綠草中又夾藏著朵朵五顏六色的小野花，甚是美麗。車行公路上，路兩旁經常出現一群群的牛羊馬群，引得大家一陣驚呼不停的拍照。而由於大草原實在太遼闊了，視覺錯覺，天空的雲層好像壓得特別低。而偶爾可見的遠方山巒，則模模糊糊的成了一條曲線。

大草原的震撼，即使結束所有旅程，返回台灣後，幾天幾夜，我的大腦還走不出它的範圍！

（『郵人天地』月刊）

熱汽球的天空

　　近幾年台灣各地興起一股搭乘熱汽球的風潮，往往見到舉辦場地上，人山人海，大排長龍。見到熱汽球，不由得讓我回憶起多年前，前往土耳其旅遊時，首次搭乘熱汽球的經驗。

　　位於土耳其中部的卡帕多起亞城市，是一座美麗的大城。尤其擁有百萬年來火山灰風化後產生的各式各樣奇岩怪石，更是觀光的重點。而乘熱汽球在高空中欣賞奇岩怪石，更是熱門中的熱門，幾乎首次前往該城市旅遊的客人，很少有人會放棄這個難得的機會。

　　乘坐熱汽球要看老天的臉色，只要是颱風或下雨，那麼熱汽球是絕對不能昇空的。即使當天無風無雨，也不見得飛得起來，還要看高空中的氣流強弱而定。此外，乘坐熱汽球多利用清晨太陽尚未昇起時，因此時氣流較穩定，且人在高空可免太陽光輻射之苦。

　　原本我團早已預定，抵達該城次日一早即要搭乘熱汽球，豈知隔天清晨，卻被告知因氣流不穩定而取消。正當大家紛紛表示失望時，幸好當地導遊另有管道，幫我們爭取到第三天清晨的一線生機。

　　隔日清晨六時許，我們全團二十餘人已整裝待發。七時許，終於熱汽球公司派來兩部車子，將我們載往公路旁某處等候。不久一艘滿載老外的熱汽球緩緩降下、著陸。等藍子清空後，我們紛紛爬進高度約一百五十多公分的藍子裡。不一會兒，只見駕駛員熟練的操作起機器，熱汽球緩緩升空了！

　　熱汽球升啊升，從地面緩緩一直上升到約有三、四十層樓的高度，從乘坐（其實是站立）的藍子往下望，啊，腳底下好一片安那托利亞高原風光，各式奇岩怪石林立，簡直是人間奇景。

　　熱汽球升到一個高度後，又緩緩往下降。下降、下降，啊！地面上原本模模糊糊的奇石，此時看得如此清楚，有似煙囪，有似蘑菇，有似各種動物等等。有幾次熱汽球幾乎和巨石擦身而過，引起大家一陣有驚無險的驚呼連連！

　　熱汽球再次上昇，上昇。此次上昇到比上一次更高的高度，仰望更高頂空的藍天白雲，我們感覺自己像雄鷹，正翱翔在安那托利亞高原的空中，無比激動，無比興奮，當然也有一絲絲害怕與不安。

　　熱汽球就這樣上上下下，在一大片廣闊的石灰岩森林上空不斷飄移、飄移，大約過了一個鐘頭，熱汽球終於緩緩下降，結束我們此趟驚險、刺激的旅程。

（『郵人天地』月刊）

歐遊記行

　　去歲十一月，因緣巧合參加了一趟東歐行，前往德、奧、捷、匈、斯洛伐克五國，做為期十三天之旅。雖屬行程匆匆，走馬觀花性質，但也有一定收穫。以下試就記憶所及，感受較深者幾則，與諸君共享。

一、漫長的飛航旅程

　　從桃園機場起飛，飛機直飛德國西南部大城法蘭克福。飛航時間是十三小時，旅程萬餘公里。由於飛機機位狹窄，坐臥不便，經過七八小時後，感覺全身酸痛疲累至極，只好趁上廁所時，在機後方狹窄的空地稍站，活動一下筋骨，始稍恢復精神。而在最後抵達前的一、兩個鐘頭，感覺更是難熬。可見長途旅行，除了要有錢，身體健康更是不可少。若想實現自己的遠行夢，還是要趁早。

二、城市建築之美

　　此行五國之旅共到過四個國家首都，分別為捷克的布拉格、斯洛伐克的布拉迪斯拉發、匈牙利的布達佩斯、奧地利

（教堂尖塔高聳入雲）

的維也納，這些百年以上大城市的主要建築都屬歐洲中古世紀巴洛克式等風格，每棟都富麗堂皇、美輪美奐，整體規劃齊整，令人讚賞。由於歐洲人都信奉基督、天主教，故教堂也都建得氣勢非凡，外觀尖塔高聳入雲，內部則造型莊嚴華麗。由於我們非教徒，僅能欣賞其建築之美，其餘宗教典故等則匆匆聽過，談不上真正了解。此外，各大城市街道四通八達，兩節造型美麗的電車不斷來來往往，也吸引我們的目光。

三、船遊多惱河

多惱河發源於德國南部的黑森林山區，向東流經奧地利、斯洛伐克、匈牙利等十個國家，最後注入黑海，全長達兩千八百多公里，是歐洲的第二大河。在匈牙利的首都布達佩斯，我們曾搭乘遊艇遊河，飽覽兩岸的綺麗風光。只見鷗鳥成群空中飛舞，天邊一輪火紅夕陽正緩緩西墜，寬闊的河面上，出現一條條造型殊異宏偉的大橋。而河的兩岸一棟棟美麗建築及稍遠處青山隱隱，不斷呈現在我們眼前。整體感覺如詩如畫，至今仍留在記憶中難忘。

四、跨國如入無人之境

此次短短十天（總共十三天但有三天在飛機上），跑了五個國家，平均兩天一個國家。我很驚異的發現，原來歐洲大陸的國家邊界是如此設而不防，雖有關卡但一般無人駐守，只見兩國車輛相互從關卡呼嘯而過，不用繁瑣的檢查證件及手續。另外歐元已成歐洲大部分國家的貨幣，即使尚未使用歐元的少數國家，其實使用歐元購物也可通，真的很方便。

五、「食」在難以下咽

去歐洲旅遊，令人感到難過的大概就數吃了。他們餐廳標價並不便宜的標準「三道式」餐點如下：第一道，一碗鹹湯（或一碗生菜沙拉）；第二道，一大塊牛排配上一坨米飯（或一隻豬腳配上一些馬鈴薯泥）；第三道，甜點一份。如此標準「三道式」，吃一兩次尚可，吃多了豈不令人發狂？而我們在旅遊期間不得不吃了十多餐。唯二兩餐不同的是在布拉格與維也納的台灣人開的餐廳吃到中餐。炒青菜、家常油豆腐、滷豬肉、紅燒魚、大餅煎蛋、蘿蔔排骨湯……，讓我們吃得滿懷感激，甚至想痛哭流涕。尤其老闆一口流利台語，令人倍感親切。

六、彷如仙境的薩爾茲湖區

（美如仙境的湖區景色）

薩爾茲湖區位於奧地利西部，是一處包含有七十多個美麗冰蝕湖的風景區。這些冰蝕湖的水都來自阿爾卑斯山的冰雪融化，故清凜見底，水中但見游魚成群，無數天鵝、水鳥悠遊水面，見人不驚。清澈水面下倒影著湖旁美麗的紅牆綠瓦與巍巍高聳雪山，而雪山看起來似近又遠，山頂則一片雲繚霧繞，彷如仙境。置身此地，真令人心曠神怡，眼睛一刻也不願意休息。此地也是自古以來奧地利皇室的度假專區，如今則每年吸引數百萬來自全球的觀光客來此朝聖。

七、恐怖的人骨教堂

此行參觀的最奇異景點，當屬位於捷克庫那赫拉小鎮內的人骨教堂。此教堂面積不大，外觀不甚起眼，卻大有來頭。原來蓋教堂處本是一堆萬人塚，後來由於天災或戰爭等原因，塚破骨露，四散流失。一位修士心有不忍，於是花了幾

十年工夫在此修了一座教堂安置。進入燈光薄弱有些陰森的教堂內，但見兩座人骨堆積而成尖塔高聳兩旁，看得人頭皮發麻。而室內各種擺飾，諸如門簾、串珠、十字架等等，全是由人骨精編而成。此外架子上更放著一個個骷髏頭，大大空空圓圓的眼眶，似在瞪著你。大部份的團員都匆匆瀏覽一遍，立即奪門而出。

八、楓紅層層黃金大地

　　十一月是初冬，當我們抵達時，只見各大城市街道兩旁及各大小山坡上，楓樹及槭樹葉層層飄落，把大地鋪上一層厚厚的金黃地毯，煞是美麗。這些楓、槭葉有大有小，葉面呈三叉或五叉分開。我看到有些女團員在撿拾，也隨手撿了幾葉，返回後放在我書桌的筆筒上當作裝飾，每看到它們就想起那些楓紅層層，黃金大地的景象，可謂是歐遊最有意義又毫不花錢的紀念禮物。

結　語

　　古人云：「行萬里路勝讀萬卷書。」又云：「百聞不如一見。」確實世界之大，無奇不有。吾人何不趁行有餘力之時，多到外面走走，充實自己的知識與見聞。

（『郵人天地』月刊）

南疆遊之奇與趣

新疆省位於中國最西部，由於地域廣大（約台灣面積的五十三倍大），又以橫貫東西綿長約一千七百多公里的天山山脈為界，天山以北的疆域稱為北疆，以南稱南疆。南北疆各自以沙漠、瀚海、草原、綠洲、湖泊等天然美景，吸引一批又一批的中外遊客前往旅遊。每年前往新疆旅遊的最適宜月份是五至六月，彼時天氣轉暖，不冷不熱，天山的雪水融化，滋潤沙漠中的草原綠洲，只見草原上一片欣欣向榮，百花齊放，牛羊馬兒成群覓食，那種壯觀的場面，真是令人過目難忘啊！

以下試以十二點，介紹一下旅遊時的見聞。

一、天山神秘大峽谷與天山神木園

天山神秘大峽谷與天山神木園，是此次南疆之旅，最美麗值得欣賞的兩處天然奇景。天山神秘大峽谷位於阿克蘇地區庫車縣北方七十多公里處，有國道經過，前往十分方便。說也奇怪，南疆地區的山與沙漠一般都是灰褐色的，然而這處大峽谷的山脈竟然是紅色的。整座大峽谷綿長數公里，谷外燥熱，走入谷內馬上感覺十分涼爽。在谷底裡走著走著，

抬頭往上望，只見天空僅呈一線，左右兩邊的山體好像兩座巨屏風，隨時都會有合攏的危機。谷內隨著兩邊山勢起伏，或寬或窄，也有數十處觀賞景點，像臥駝峰、南天門、旋天古堡、一線天等等。最神祕奇異的是其中兩處相近的景點「靈光洞」與「聖泉池」，靈光洞的洞體，彷彿是觀世音菩薩的坐姿聖像，洞壁有汩汩清泉不斷冒出，據說有時空氣中還隱隱會有梵樂聲傳來，益添其神秘氣氛。

　　天山神木園則位於阿克蘇地區溫宿縣境內。天山北坡屬陰面，因氣候適宜，草木長得十分茂盛；南坡屬陽面，一般因天氣酷熱，寸草不生。而天山神木園就在天山陽面奇異的出現。整個園區占地數公頃，不但草木茂盛，鬱鬱蔥蔥，還生長了近百棵各式各樣、千奇百怪，樹齡達到五百至千餘年的古巨樹，如杏、柳、楊等，令人嘖嘖稱奇。其中最奇異的兩棵樹，一稱「奧運樹」，樹身天然的長有五個環。另一棵「無根樹」，樹身被風吹倒了，沒有根竟然還能活，若非親眼目睹，還真不敢相信！

二、蔥嶺之路

　　蔥嶺之路指由南疆喀什地區驅車一路沿著 314 國道直上

中（國）巴（基斯坦）邊界的紅其拉甫口岸，海拔由一千多公尺，上升到五千多公尺。葱嶺是帕米爾高原的別稱，帕米爾三個字塔吉克族語即「世界屋脊」之意。葱嶺之路沿著帕米爾高原東側邊緣的峽谷，順著河流開鑿道路直上，道路狹小，崎嶇難行，但風景絕美。傳說中這條道路也是當年唐三藏去西天取經所經過之地，故沿途留下不少傳奇故事，令人津津樂道。不可思議的是，當年並沒有道路，如何在崇山峻嶺，野獸成群出沒的荒涼地區前行，就有賴人們各自去想像了。

我們的遊覽車從喀什市開出約兩三個小時，即進入嶺區的「蓋孜大峽谷」，峽谷內除了陡峭的山壁、巨石外，沒有草，沒有牲畜，漫天遍地呈現荒蕪的景象，令人驚嘆！隨著車子越爬越高，車外景象也逐漸起了變化，只見道路兩旁遠處高山頂，紛紛覆蓋上一層白雪，而隨著海拔越高，積雪也離我們越來越近。當我們的車開至海拔四千多公尺時，大雪紛紛由山底漫延至平原，來到道路兩旁我們的腳底下。此時只見天與地合而為一，漫天漫地一片雪白，那種視覺與精神上的震撼，除非親身經歷，否則真難以體會！

三、香梨好吃

香梨是南疆庫爾勒地區盛產的水果，比柳丁稍小的身軀，淺綠色薄薄一層的果皮，咬下去，甜蜜多汁，令人吃了還想再吃。在南疆旅遊期間，團員們只要看到水果攤，莫不紛紛前往搶購香梨。一公斤約人民幣十元左右，可說高貴不貴。香梨還有一特性，即耐貯藏。我們五月前往，今年的香梨尚未成熟，攤販上賣的可是去年的水果，但品質不變，一樣好吃。

當然，南疆好吃的水果不止香梨，像哈蜜瓜、各種葡萄、西瓜、蘋果等也都很好吃，但似乎總不如香梨令人回味無窮。

四、沙漠遇雨

南疆地區乾旱少雨，每年下雨的天數可能只是個位數。雨量更是稀少，有些地區每年只有三毫米的雨量。我們此次前往旅遊，某日竟在車行於沙漠公路時，碰到下雨。當時只見公路前方煙塵滾滾，狂風大作，接著大大小小的雨滴不停敲打在車子上，司機趕緊啟動大約很久沒有用過的雨刷。大約經過十幾分鐘雨停了，眼見地面還沒濕透呢！不過我們當晚夜宿附近城市，隔天早上起床一看，街道柏油馬路上竟有些積水，可見當晚又下了一場更大的雨。

五、白楊醒目

新疆地區生長著一種胡楊樹，此種樹種具有抗旱、耐鹼等特性，故能在雨水十分稀少的沙漠中生存。號稱活著一千年不死，死了一千年不倒，倒了一千年不爛。由於生長條件艱苦，其樹姿也就千奇百怪，不一而足。不過在各大綠洲城市道路兩旁，普遍栽植的樹種是白楊樹。白楊樹樹皮呈棕乳色，樹身挺直，成排栽植於道路兩旁，兼具防風沙與美觀價值。它們就像一列列保衛城市的士兵，列隊站立於道路兩旁，歡迎前來觀光的觀光客，令人難忘。

六、話　饢

新疆地區由於地大、乾旱，出外工作、旅行，往往需要自帶食物，以備不時之需。而這種食物要具備有易保存、不易腐壞的特點，饢這種食物就具備上述特點，故在新疆各個城市街道，到處都有人在賣饢。從大至鍋蓋的饢，到小至手

掌般的都有。導遊為了怕我們乘車旅途中餓肚子，有時也買些大小不一的饢放在車上，供我們取用。一般來說，剛烤好尚有餘溫的饢較好吃，若冷了硬了則只好配開水才能下嚥。有些團員臨返台前，還特意去採購了幾個鍋蓋般大的饢帶回家，不知是留做紀念？還是向親友獻寶？

七、玉龍喀什河撿玉

玉龍喀什河發源於崑崙山脈，流域綿長寬廣，是一條盛產各種美玉的河流。此次我們南疆行由阿克蘇市，一路穿越四百多公里的塔克拉馬干大沙漠，來到此河流經的一個城市 —— 和田市，自不免要下到河床尋找美玉一番。我們一團二十餘人，各個捲起衣袖，滿懷希望的在河床上尋尋覓覓，但美玉豈能如此容易尋獲？大約經過一個小時，各個空手失望而歸。此時，我們的遊覽車旁早已聚集了幾位維吾爾族年輕人，他們各個手裡揣著一粒粒玉石，待價而沽？於是經過一陣喊價、殺價，我們終於用錢「撿」到了玉石，而維族小伙子們也獲得代價，皆大歡喜。

八、時差問題

　　春夏季期間,新疆地區的時間是晝長夜短,與台灣的晝夜「差很大」。每天晚上八、九點,太陽還高掛在天空。直到十點過後天空才逐漸暗下來。所謂入境隨俗,我們也不得不調整生活作習,每天晚上九點過後才吃晚餐,午夜一點才出門逛夜市。剛抵達的幾天真有些不習慣,後來也就逐漸適應了。

九、車庫、庫車

　　南疆有一個綠洲大城市叫庫車,庫車市也就是以前的龜茲古國,地處西域中心地帶,是古絲路三十六國裡的第三大國。正當某日我們在庫車市的某處景點觀光時,突然有位團員的手機響起,她急忙打開接聽:「喂,是,我是某某某,我現在在車庫,不方便接聽你的電話……」語畢,旁邊聽到的團員莫不笑彎了腰,或許電話彼端打電話給她的朋友也一頭霧水,為何人在「車庫」卻不便接聽電話?

十、有生意頭腦的古麗

　　古麗,維吾爾族語「姑娘」的意思。在南疆喀什地區,我們碰上了一位很有生意頭腦的「古麗」。這位維族姑娘,今年才二十二歲,大學剛畢業不久。當我們一團二十餘人抵達「高台民居」(喀什市區裡保留的老街)時,這位「古麗」就

很熱心的接待我們，一直為我們介紹老街風景，講解老街歷史。碰到團員欲和她合影，也來者不拒，並擺出各種不同的迷人姿勢，讓每位團員都很滿意。不久「古麗」帶我們來到一處人家，這處人家有一間大客廳，客廳上鋪滿了華麗的地毯。客廳一側並擺放一台大電視音響。「古麗」此時說了：「你們先進客廳裡坐，待我換件漂亮舞衣，配合電視音響，跳兩條維族舞蹈給各位欣賞可好？」大家當然說好。「不過，每人要收十元觀賞費。」古麗小聲的說了。「好好好，既來之則安之，進去吧！」不曉得哪位團員說了，於是大家都沒意見。就這樣，古麗很快換了一件漂亮衣裳，輕輕鬆鬆配合音樂跳了兩條舞，淨賺人民幣兩百多元。樂得也在旁觀賞並幫忙打拍子的一位中年婦人笑呵呵，這位婦人應就是「古麗」的媽了。

十一、野地小解

　　南疆地域廣大，車行處，公路兩旁盡是杳無人煙的沙漠地區，要方便如何解決？當然得回歸最原始的方式。每次車停公路旁，導遊總宣布，男生在左邊，女生在右邊，各自尋找掩蔽物解決。如此總見兩種景像，男生集體站立於路左邊

整排，各自發射，場面壯觀。女生在右邊因各自尋找掩蔽物，忽隱忽現。開始時大家還有些不習慣，幾天下來，大家似乎也逐漸適應了，一面小解還一面打趣，在野外打野戰慣了，回家後坐在馬桶上可能會尿不出來呢！

十二、議　價

　　出外旅遊，購物議價是一種樂趣。一件商品，老闆出價十元，你能還到五元左右成交，算你很會議價。此次前往南疆旅遊，筆者還注意到維吾爾族人議價有一種有趣的習慣，當互相議價即將達成共識時，賣者會拉著買者到旁邊，舉起買者的左手，手心向上，然後用自己的右手從上方大力拍打下去，拍打的同時，將價錢大聲講出，頗有一槌定音之效。通常經過拍打之後，雙方皆各知底限，成不成交就不再囉嗦了。

（『中華日報』副刊）

桂林旅記 八則

一、阿香

　　桂林旅遊某日中午至一家餐廳用餐，搭乘的遊覽車尚未抵達前，導遊向大家說：「等一下大家想買水果，就向阿香買好了，她賣的水果品質好價錢又公道。」

　　「阿香是在餐廳門口擺攤的小販，等一下她會削水果拿到樓上請大家品嚐，大家吃了滿意才買，貢梨及香梨六個台幣一百元。」

　　為什麼不向別人購買，特別推薦阿香，原來除了品質及價格外還有「內幕」，導遊繼續說：「某次有位團員臨上車前向阿香購買水果，買完後立即上車，車子旋即啟動駛離，此時卻見阿香著急的趕來並頻頻揮手示意。導遊以為是團員買水果沒付錢，示意司機停車了解。結果原來是該團員付錢時忙中有誤，將人民幣一百元當成台幣一百元付給阿香。」

　　「阿香這種誠實的舉動從此在桂林的導遊界傳開，大家都樂於幫她的忙。」導遊繼續向我們解釋。

　　結果那一餐，我團在吃了阿香請大家試吃後，共有多人向阿香買了約一千多元台幣的水果。

可見作人還是誠實點好！

二、小廖

桂林旅遊第四天，前往龍勝山區參觀龍脊梯田。在即將抵達前，導遊說等一下當地導遊小廖會帶領大家上山，接著介紹小廖：

「她是壯族少數民族，身高僅有一百五十多公分。今年二十多歲，父母雙亡……」

果然當我團抵達時，小廖早已笑容滿面的拿著旗子等待著。接著她熟練的向大家講解等一下上山應注意事項，並帶領大家一路往山頂爬。由於小廖和我同姓，感到十分親切，路上我特別趨近她遞給她一張名片，並和她攀談。

「妳今年幾歲了？結婚了嗎？有兄弟姐妹或親戚嗎？」

「我今年二十八歲了，還沒結婚沒人敢要，我爸媽前幾年分別死了，我媽生前嫁過三次，生下我們四個同母異父兄弟姐妹，三位兄姐妹已分別嫁娶搬離家中，目前我獨自居住。平常務農，偶爾出來帶團賺點零用錢。我有兩位舅舅，但他們也都早已搬到縣城居住，我居住的村子離此兩三公里遠，來一趟要走兩個多小時的山路……」

儘管身世這麼坎坷，生活這麼艱難，但小廖仍然沿路精神抖擻的帶領大家奮力往山上爬。半個多鐘頭抵達山頂後，並應大家要求一一合影留念。

遊完了梯田風景，並在山上用完了午餐，我們再次上車和小廖告別。小廖矮小孤零零的身影，留在車窗外面，留在

我記憶的腦海中。

三、最扯的魚鷹捕魚秀

桂林遊第三天早上有一個自費行程「搭竹筏遊漓江並觀賞魚鷹秀」。由於連日來下雨漓江水暴漲，導遊一度擔心封江。幸好我們抵達碼頭時雨勢轉小，順利搭到了船。

竹筏由一位船夫以長竿撐持，緩緩順流而下，不一會兒抵達一處淺灘，只見眾船圍攏，淺灘中間有一小竹筏，竹筏上站一漁夫及四隻魚鷹。接著漁夫驅趕一隻魚鷹下河捕魚，只見魚鷹潛入水中，沒五秒鐘即捕到一條大魚（估計是魚停在淺灘河水中等著被捕）。眾人正待拿著照相機好好捕捉畫面，此時雨勢突然轉大，由於小竹筏上的漁夫沒有穿雨衣，不堪雨淋，竟然匆匆再趕一隻魚鷹下水捕魚後，立即終止捕魚表演，撐著小船迅速離開上岸躲雨，留下大家傻在那兒。

這真的是史上最扯的魚鷹捕魚秀！

四、藏藥店氣功初體驗

桂林行某日，導遊帶大家到一家藏藥店購物。

藏藥店先派一美麗女中醫師向大家講解身體穴位及藏藥好處，接著請店內服務生幫大家以浸泡的中藥洗腳。正在洗腳按摩時，好幾位據說是來自西藏的名醫「恰好」來到桂林，「有緣」為大家義診。頓時整間房子熱鬧騰騰，簡直就像菜市場。

　　一位叫「扎西」的中年藏醫來為我義診，我主動告訴他左大姆指約一個月前因揹重物不慎拉傷至今未好。於是他施展氣功為我診治。只見他先吸一口氣，然後以手掌緩緩靠近我的患處，頓時我被接觸的皮膚點感到一股刺痛，彷彿被電觸擊般，讓我十分訝異。如此這般來回電擊幾次，扎西說我的手指筋骨拉傷嚴重，建議我買一個月療程人民幣四百元的藏藥回去吃，他再好好為我發功診治。那種場合似乎很難拒絕，於是我點了點頭。

　　扎西收了人民幣四百元，請服務員去拿藥，並繼續發功幫我診治。約五分鐘服務員以一個大塑膠袋包了一盒藥給我。扎西囑我如何對診吃藥，並說他可幫中風等重病患者發功醫療，希望我有緣介紹，並遞給我一張名片。

　　回到車上，我掏開那外表標有「二十五味針珠丸」的藥盒一看，裡面又分兩小盒，每盒各五粒重一克的藥丸。算算平均每粒藥丸要價台幣兩百元，還真的有點太貴。至於藥效如何，只有吃了才知道。

　　那次我團多人，總共買了一萬多元人民幣的各種藏藥。有一對「土財主」老夫婦購買最多，藏藥店還特別贈送一只手提皮袋供裝藥。

五、誰的東西掉在旅館

　　桂林旅遊第六天早上七點許，正當大家都已上車準備駛離飯店時，導遊突然從飯店服務人員接到一個塑膠袋，於是高舉在手上，問大家這是誰掉的？

沒有人舉手認領。

我一看那個塑膠袋似曾相識，猛想起剛剛要離房前，同住一室的室友傅兄問我要不要塑膠袋，我說不要，於是他將袋子放在桌上，好像就是那只塑膠袋。於是趕緊告訴傅兄前往認領。他將信將疑的從導遊手上拿到袋子，打開一看，袋內竟有一件內衣、一條內褲。

原來昨晚傅兄把內衣褲掛在浴室晾曬，今早離房時竟忘了。巡房服務員發現後，迅速將內衣褲收取，置入桌上留下的那只袋內，拿到即將啟動駛離的車上給我們。

六、遙控器誤當手機的烏龍

由於千交待萬交待，仍有人掉東西在旅館內，於是導遊順便向我們講了他曾經帶團的一次團員掉手機經驗。

也是一大早，當車子駛離旅館半個多鐘頭後，導遊突接到飯店人員告知，某間房內有團員掉了一只手機在裡面。導遊趕緊詢問住宿該房間的兩位年輕帥哥，兩人都表示不可能，他們的東西都已帶在身上。

導遊請他們兩位再摸摸看他們的手機，其中一位摸摸口袋，竟從口袋內掏出了一只冷氣遙控器，當場傻眼！

七、桂林山水美嗎？

桂林山水美嗎？相信你問一百個人，一百個人都會告訴你：「當然美啊！桂林山水甲天下嘛。」

然而我卻問到一個人，他告訴我，他並不覺得桂林山水的美，這究竟是怎麼回事？

桂林遊某晚，導遊帶我們到一家按摩店洗腳。有一位帥哥在我的旁邊為女客按摩腳，我和他攀談。他說他今年二十五歲，即將結婚，是少數民族的壯族。由於從小就在桂林山區長大，不曾出過遠門，長大後整天在城裡忙著打工掙錢，對這些從小看到大的山山水水，他並不感覺得美。

原來美是要有比較，有距離，且要有一雙休閒的眼。否則即使世界美景在你眼前，你沒錢吃飯，怎會覺得其美呢？

八、知識的力量

桂林遊第五天下午，我們來到位於桂林市七星區東郊堯山西南麓的靖江王陵參觀。

當我團下車不久，來了一位女導覽員，年約四、五十歲。她自我介紹，原來她也是台灣人，老家在台中。她是一位學者，因鑽研明代歷史，特來此研究考察一段時間，目前且暫代理館長一職。

她從進大門開始，仔細的為我們介紹王陵內的各種石雕神獸建築等。精闢的講解，淵博的學識，博得大家的讚佩。最後終於來到王陵內的木造宮殿式建築，建築內有一間大房正販售著各種玉器。

女教授請大家看看玉器，並向大家保證所有玉器都是真貨，價錢也絕不二價。她幫兩位團員看手相，建議他們佩帶哪種玉飾較適當。或許佩服於她學識的淵博與對佛法的精深

研究，兩位團員都乖乖的掏出數百及數千元人民幣各購買一件玉器。

女教授最後為兩位購買的玉器唸大悲咒加持，才結束導覽向我們告別。

由她身上，我看到了知識的力量。

（『郵人天地』月刊）

詩人畫家牟崇松國畫作品

海上桂林一日遊

波平如鏡，海水正藍，陽光柔灑，和風習習。春日三月，海上桂林，這世界七大自然奇景之一的北越下龍灣，每日吸引無數來自世界各國的觀光客。而今天我們也來了，成為它美麗風景裡的一道小小風景。

出發，我們的船一早從碼頭緩緩緩駛出，向遼闊的海面。在廣達一千五百多平方公里的海面上，有將近兩千個大大小小的石灰岩島嶼散佈其間。奇形怪狀的島嶼，賦予人們各種想像的空間。鬥雞島、恐龍島、猴島、龜島、筆架山、蓮花座、鯉魚、天狗、香爐、礁台……，在這個神奇的海面上，每一個人都是藝術家。

海龍十號遊艇載著我們整團三十餘人緩緩前行，約一個多鐘頭來到海面上一處浮動基地。登上基地，換乘小船往另一處海面上出發，不久來到一個石灰岩溶洞，小船穿過溶洞，立即柳暗花明，來到一處「海上桃花源」。只見桃花源裡處處岩壁陡峭，林木森森。有猿猴攀爬其間，見人不驚。

遊完「海上桃花源」，我們復返回遊艇續在海面上航行，只見沿途四面八方前後左右，一個又一個美景相繼出現，有些島嶼峰峰相連，氣勢雄偉，有如海上長城；有些單峰矗立，或高或低，奇形怪狀，令人浮想聯翩。

　　遊艇又來到一個有沙灘的小島——TITOP 島，據說此島是以一位曾訪問此島的蘇聯太空人名字命名，美國 007 電影曾在此取景拍攝，以致聲名大噪。島高八十餘公尺，可由海平面攀爬四百多台階上到山頂遠眺。登島，團員中雖然絕大部分是高齡老者，但機會難得，大家都不願放棄機會努力攀爬登頂。果然爬得越高，看得越遠。視角三百六十度的海上景觀，但見綿延的山巒倒映在碧綠的海面上，景色美如一幅山水水墨畫，令人終生難忘！

　　船不久又來到一個有鐘乳石洞的小島，登島入內，只見石洞巨大，鐘乳石奇景處處，彷彿置身海底龍宮。沿著洞內步道觀覽了近半個鐘頭才出洞，見證了大自然的神奇與偉大。

　　下午五點多，在海上遊覽了七、八個鐘頭，我們的船終於緩緩駛抵碼頭，結束了美好的海上桂林一日遊。

（山西『鳳梅人』報）

西藏旅記

西藏，一個神奇的地方。那裡有成群的藏羚羊在凍土上豪放奔馳；那裡有雄鷹在曖曖雪山上飛翔；那裡有成群的牛羊馬兒，在草原上悠閒的放牧；那裡有無數的高山湖泊，像一只只澄澈的眼睛望著藍天；那裡有數也數不清的廟宇、宮殿，見證千百年來歷史的厚重；那裡還有一群群善良的藏族同胞，他們過著經濟條件艱困但卻因有虔誠信仰而精神豐富的生活⋯⋯

西藏，一個令人嚮往的地方。那是一塊可供靈魂歇腳的土地，那是一塊生長傳奇與神話的土地，那也是無數顆凡俗生活疲憊的心想要抵達的土地。是的，多少人想親自前往，一揭它的神秘面紗，然而限於各種主客觀條件，能夠真正成行者，十不得一⋯⋯

一、藏族小孩與老人初接觸

西藏之旅第二天，我們一早即搭乘西藏航空的飛機由成都抵達海拔三千多公尺的林芝地區。在由機場前往住宿的八一古鎮途中，抵達一處景點 —— 雅魯藏布江與尼洋河的交匯處，車子停在路旁，我們下車賞景。

當我們正忙著拍照時，四個住在附近的藏族小孩趕到了，他們一個個露出天真無邪的笑容望著我們。團員中有人背包中裝有餅乾、糖果，紛紛拿出給他們，他們靦腆的接受，紅通通的小臉蛋上露出滿足的笑容。團員們紛紛找他們合影，他們顯然已「見多識廣」，一個個擺出酷酷的姿勢伸手喊「YEAH」！

當我們拍完照欲上車時，車門口站立了一位臉上寫滿滄桑的老太婆，她穿著一身粗布黑衣，手裡拿著一個小小轉經輪，靜靜地微笑地望著我們。團員中有人（包括我）從車上拿些麵包、餅乾給她，她面露感激的默默接受。

這是我和藏族同胞的初接觸，感受十分深刻。因為我彷彿見到半世紀前自己的童年生活，那時候台灣地區普遍貧困，作為小孩子的我，有時也要「自力救濟」謀些外食，以解決老是淡得出鳥的嘴巴及餓得咕咕叫的肚皮。而那位沉默的老婦人，讓我想到已亡故多年的我的老母親！

二、難忘天佛瀑布行

瀑布到處可見，差在規模大小。貴州的黃果樹瀑布，中越邊界的德天瀑布，氣勢磅礴，規模夠大，筆者都曾去過，留下深刻印象。那麼天佛瀑布又有什麼特

點，令人難忘呢？

　　位於林芝地區尼洋河畔卡定溝內的天佛瀑布，是一典型的峽谷地貌。園內山高溝深，奇峰異石，綠意盎然，景色十分優美。進藏第二天上午我們來此旅遊，入園但見沿途陡峭山壁間，一幅幅天然形成的岩畫，有像神鷹、有像酥油燈、有像靈龜、有像喇嘛頌經等等十多處佛教的景觀，大家看得嘖嘖稱奇。不久來到瀑布前方，仰望但見一道潔白的瀑布從兩百公尺高的山頂傾洩而下，它濺起的濛濛水花，不斷灑向遊客身上、臉上，讓我們感受到一股沁心的清涼。

　　在瀑布上方的山壁間，天然形成一張眉眼鼻嘴五官俱全的臉孔，望之慈祥、莊嚴，似為天神，此瀑布也因此而得以命名。

　　仔細觀賞在瀑布兩旁的山壁間，似也可看到到若隱若干現兩尊男女護法神的全身容貌，祂們衣冠端整，儀態莊嚴，同樣令人稱奇不已。

　　據說在夏、秋旺水季節，此尊天佛臉孔會隱沒於水中，直到冬、春枯水期才又顯露出來。導遊說能見到祂的真容是有福之人，我們都是遠道而來的有福之人。

三、色季拉山口的巧遇

　　色季拉山口，位於林芝地區的魯朗鎮，標高四千七百餘米。當我們由三千餘米的八一古鎮搭車一路繞山盤旋而上，抵達時由於高原反應，每個人早已極度不舒服，走起路來飄飄然。但我仍然勉強下車走到附近刻有標高的巨石旁留影。

　　此時由反方向騎來三輛腳踏車，三位年輕人停妥了車子，脫下安全帽，也來和巨石合影，各個面露興奮表情。趁他們照完相尚未啟程，我悄悄詢問其中一位：

　　「你們從哪裡來，要往何處去？」

　　「我們從山東煙台而來，要往拉薩方向而去。」

　　「你們已騎了幾天，食宿問題如何解決？」

　　「我們已騎了五十多天，三千多公里。我們行前已做精密規劃，食宿問題皆已妥善安排，今晚我們就住宿在八一古鎮……」

　　簡單的對話後，他們復戴上安全帽往前駛去。望著他們騎在車上雄健的背影，堅毅踩踏的步伐，此時的我不禁精神一振，彷彿高原反應的身體不適，也不那麼嚴重了！

四、什麼叫中流砥柱？

　　「中流砥柱」是一句成語，表示一個人在危難、風雨飄

搖時挺身而出，適時穩住了大局，就像一條湍急的河流中，站立了一顆巨石，擋住了滔滔河水。大概中學生都已曉得這句成語吧！

　　然而現實環境中，有沒有這麼一條河流，這麼一塊巨石，讓人一見到它們即大聲脫口高呼「中流砥柱」四字，而不做他想呢？

　　真的有，百聞不如一見，就在林芝地區往拉薩方向前行的公路旁尼洋河上。河前後段都是一大片平坦的碎石，一顆小山也似的巨石此時卻突然冒出在河中央擋住滔滔流水。太神奇太不可思議了！

　　此石從何而來，屹立於此已有多久？想來是大家都想得到的答案。當然除了神話的解釋，人類無法解答。但只要見過這顆石頭的人們，將永遠對「中流砥柱」這句成語，留下無可磨滅的印象。

五、藏獒犬的無奈與嘆息

　　一條高大雄壯的藏獒犬頸部環繞著一個花圈，被綁在景區邊的鐵欄杆。由於太陽十分炙熱，牠一邊頻頻吐著舌頭，一邊顯露出頹喪的表情。

　　一輛遊覽車來了，遊客們紛紛下車拍照，沒有人注意到牠的存在。

　　終於有一位遊客拍完照後注意到牠，好奇的來到牠身旁

給牠拍了一張愛的留影。正當遊客拍完照欲離開時，景區旁立即竄出一位精壯的中年藏族男子，一把揪住這位遊客要他付十元的拍照費。遊客對這種有些類似敲詐的行為無法接受，極力辯解，但基於旅途中不願因小事發生衝突影響後續行程，最後也只能選擇不甘願的付款。

類似這種對遊客疑似敲詐的行為，還有當地人「占石為王」，凡遊客欲在刻有景點名稱的石碑旁留影，得要先交款給他們，取得他們的同意。錢雖不多，但卻讓遊客留下極度不良的印象。

石碑不會說話，原本應是兇猛令人畏懼的藏獒犬也只能無奈低頭。這一切都緣於某些人類的貪婪、自私與無知。

六、在米拉山口

在米拉山口，雖然由於嚴重高原反應，我的身體極度不舒服，但我仍下車在附近走走，看一看遠山近處，並在一顆刻有標高的巨石上合影，見證自己所創下的歷史。

米拉山口，是林芝地區與拉薩地區的分界山口，標高五

〇一三米。這可能是我這一生中所能登頂的極限了，豈能不感慨乎！

在五千餘米的高山頂上，放眼望去，但見遠處光禿禿灰濛濛的群山頂，彷彿和天空已連成一片。朔風野大，吹得山頂附近的一些經幡冽冽作響。

好不容易登臨此處，豈能不有詩為證乎！於是當晚我在旅店內寫下了這首題目為〈在米拉山口〉的詩：「在米拉山口／這海拔五〇一三米的／高原頂上／朔風吹得我們搖搖欲墜／／兩三隻大牦牛塑像／威武的站立於巨石堆上／它們身後一大片／五顏六色的經幡隨風飄舞／／而極目遠眺／四野童山濯濯／雲海低沉沉的／天地彷彿就要閉合」。

七、參觀布達拉宮及其他

旅遊藏地，除了觀賞大山大水之外，參觀各地大大小小的寺廟與宮殿，體驗藏人的信仰與生活習俗等，相信也是極為重要的。在停留藏地的一個星期間，我們先後前往參觀的寺廟與宮殿計有甘丹寺、大昭寺、扎什倫布寺、白居寺、武財神廟、雍布拉康宮殿以及最重點的布達拉宮。

這些寺廟與宮殿，有些據說是填湖建造（大昭寺），有些甚至建在三四千米高的光禿禿四周杳無人煙的山頂上（甘丹寺）。每座都是如此規模龐大，歷史悠久，令人觀覽後發出衷心的讚歎。這些寺廟與宮殿都是建於幾百年前甚至千餘年前，以當時的建築技術，以及藏地如此偏遠，他們是如何辦到的？我思之再三，不得不佩服我們先人的智慧與毅力啊！

　　而在參觀寺廟與宮殿的期間，我也見到了大大小小的藏族男女同胞，他們各個滿懷虔誠，不辭遠路的前來禮佛。讓人見識到宗教對藏人的教化與重要性。

八、雍布拉康騎馬記

　　雍布拉康是一座宮殿，建於山南地區的高山頂上，它已有一千餘年的歷史，是西藏第一座宮殿，也是最早的建築之一。

　　進藏第五天下午，我們來到宮殿的山腳下，仰望高高山頂上的雄偉建築，但怎樣才能上到只有蜿蜒小路可通的山頂呢？

　　不忙不忙，二十來位當地居民組成的騎馬隊早已等待多時，導遊一聲令下，大家紛紛上馬，馬蹄得得，奮力往山上爬去。

　　騎了約二十分鐘，終於上到山頂，大家紛紛下馬參觀宮殿，感受當年藏王居高臨下，俯視萬民的氣慨。

　　參觀了約半個多鐘頭，我們復騎馬返回。回程中我和年約四十餘歲的中年馬夫攀談，他說他們都是當地的村民，利用農忙閒暇來此打工賺外快，來回一趟共只掙得二十元錢，有時一天等待下來，也僅能掙到幾十元錢。他有一位兒子，正在外地讀中學，全家就靠他掙錢過活……

　　終於到了山腳下，我請一位同團的團員幫我們合影留念。下了馬，我拿了三十元錢給他，他面露靦腆微笑，一直向我致謝。

九、青藏鐵路初體驗

　　青藏鐵路由青海西寧市到西藏拉薩，全長近兩千公里，號稱「天路」。自 2006 年 7 月 1 日全線開通後，成為一條陸路進藏最快速且安全的通道。

　　來藏第七天早上，我們終於要搭乘它了，由拉薩至西寧，導遊說要搭二十四小時，隔天早上才能抵達西寧。

　　二十四小時初體驗，我們在車上各個興奮莫名。不停的望著車窗外的草原、藍天、雪山、冰湖。不停的用鏡頭捕捉一閃而逝的各種牛、羊、馬、駱駝等動物，並發出驚嘆的歡呼。直到夜幕低垂，車窗外漆黑一片。

　　夜晚，我們躺臥於軟臥床舖上，俯聽火車碾過鐵道不斷往前奔馳，發出匡當匡當的聲音，感受這神奇的雪域高原的心跳。直到倦極才迷迷糊糊入夢！

　　啊！是誰在叫：「西寧快到了，趕緊起床準備下車……」

（『郵人天地』月刊）

九華山記遊

　　九華山位於安徽省池州市東南，北俯長江，南望黃山，東臨太平湖，西接池州，是中國四大佛教名山之一。全山風景區總面積一百二十平方公里。景區內遍佈幽谷、深潭、飛瀑、流泉、奇松、石刻。九華山在唐代以前原名「九子山」，唐天寶年間詩人李白應友人邀請來此暢遊，詩仙遠眺九峰如蓮花盛開在藍天白雲間，觸景生情，吟唱出「**妙有二分氣，靈山開九華**」的詩句。由此九子山遂改為九華山至今。

　　九華山號稱蓮花佛國，是地藏王菩薩的道場，據記載明清鼎盛時期，有寺廟三百餘座，僧尼四五千人，「香火之盛，甲於天下」。如今現存大小寺廟八十餘座，佛像六千八百多尊，僧尼約幾百人。九華山能夠成為中國四大佛教名山之一，與山西的五台山、四川的峨嵋山、浙江的普陀山齊名是有原因的。除了山景秀麗、雄偉外，更因為它近幾百年來奇特的「真人真事」與「現身說法」而聞名海內外，最著名的當然是僧地藏在此修行成佛的事跡。

　　據史籍記載，地藏肉身的生前原係古新羅國的一位王子，唐開元末年（西元 719 年）他航海西渡，卓錫九華山，苦心修行七十五載，至九十九歲圓寂。圓寂後的第三年，僧侶打開他坐化的石函，見其顏面如生，搖動骨節，發出金鎖

般的響聲，便依據佛經「菩薩鉤鎖，百骸鳴矣」之說，認為是地藏王菩薩降世應化，遂裝金供奉。因其俗姓金，故尊為「金地藏」。

除了地藏菩薩的肉身外，此山中寺廟尚供奉有五位肉身菩薩，他（她）們是西元十六世紀坐化無瑕和尚，西元十九世紀坐化的慈明、大興、明淨和尚，以及仁義女尼。如今他（她）們的金身都被供奉在透明的玻璃龕內，置於廟中，供信眾祭拜。我們此次前往，只被導遊引導在一座廟宇內看到了仁義女菩薩的金身。至於地藏菩薩的金身則早已供奉於七級寶塔內，無法目睹。此座寶塔外再加蓋廟宇保護，廟宇建於山頂，欲前往朝拜，需由九華老街登上四百多個台階，但仍然每日香火鼎盛。

要攀登九華山的最高峰天台峰，得坐索道纜車前往。這條索道的距離約數公里長，十分陡峭艱險，從高空纜車車廂向下望，一望無際數百公尺深的山林幽谷，令人脊背發涼。幸好纜車行駛十分穩健，約二十分鐘抵達山頂。

出了天台纜車車站，走山路約十來分鐘，即抵達一座廟宇，此廟倚萬仞山壁興建，稱古拜經台廟，又名大願庵。此廟建於清代，為宮殿式磚木結構，十分宏偉。據云清代之前此處平台並無廟，唐代高僧地藏曾在此拜經，由於十分虔誠加上日久年深，岩石上遂留有一雙腳印。此腳印至今仍保留在廟中，信徒可站立於其上（中間隔著透明玻璃），向地藏王菩薩拜拜許願。

參觀完了當年地藏高僧留下的大腳印，又得沿著山壁爬上八百多個階梯，始能抵達九華山天台景區的最高處 ── 天

九華山峰頂風光

台寺。有一說，「不到天台，等於沒來」，可見得此寺之重要。此寺始建於宋代，時稱「地藏寺」。清代始易名天台寺。此寺大殿為宮殿式的建築，分為三層，上層為萬佛殿，中層為地藏殿，下層庫院。

　　天台寺高踞山巔，極目遠眺，長江如練，黃山巍巍。北宋文學家王安石遊天台，曾有詩贊曰：「天台一萬八千丈，歲宴老僧杖錫歸；前程好景解吟否？密雪亂雲緘翠微。」

　　在天台寺的下方，左右各有一突起的直立山峰，狀似蠟燭，故稱南、北蠟燭峰，相當奇特。而在天台寺下方的峭壁上，則有一長方形巨石突出，遠望之像一隻棲息於山壁的大鵬鳥，據說這是當年僧地藏在此拜頌經書之時，大鵬飛來感化為石，故取名「大鵬聽經石」。除了以上兩處奇景外，沿途尚有「金龜朝北斗」、「金雞峰」、「一線天」等知名景點，也都頗為奇特。

　　費盡艱辛的登上最高頂峰的天台寺萬佛殿，從殿外廣場向下俯眺，但見山嵐繚

蠟蠋峰

繞，四野蒼茫，彷彿來到天仙景界。斯時也，一切人間的憂
慮與煩惱全消。在萬佛殿下方的山壁上刻有三個大字「非人
間」，令人頗有同感。

　　九華山是地藏王菩薩修行的道場，幾百年前即已成為海
內外知名的宗教聖地。然而自六十年前，奉行無神論的中共
建政以來，宗教氣氛日漸式微。不但廟宇、僧尼大量減少，
真正虔誠的信眾也了了無幾。此次我前往，在登頂的山路石
階上，僅看到一位中年女信徒，一步一跪朝最頂峰的天台寺
前進。相反的也見到了數位穿袈裟的僧人，在登頂的道路上，
不斷伸手向過往民眾要錢，簡直破壞佛門的莊嚴。

　　古人有「登泰山而小天下」之慨，又有「黃山歸來不看
山」之嘆。我登九華山歸來，除了慨嘆於名山秀水之千年無
恙外，也期盼往昔有「蓮花佛國」美稱的這座地藏王菩薩道
場，早日再回復到它當年的盛況！是為之記。

　　　　　　　　　　　　　（「中華日報」副刊）

天台山萬佛殿

冬遊小三峽

　　冬遊小三峽，一趟詩意之旅。

　　十二月初，原本預計氣溫約在攝氏五、六度左右，然而或許低氣壓尚未來報到，白天溫度竟然有十一、二度，身上加件厚外套，也就足以抵禦風寒。

　　上午八點多，我們從住宿的市區旅館搭車來到碼頭。先爬上幾十個台階，參觀巫山博物館內收藏豐富的出土文物。十點鐘準時上船，船立即緩緩開動，駛向一片茫茫水域。

　　巫山縣位於長江與其支流大寧河之交界處，小三峽即大寧河下游一段約二、三十公里的流域，兩岸風景如畫，是搭大船遊長江三峽必遊的景點之一。我曾遊過一次長江三峽，即是在這片水域捨大遊輪改搭小遊輪進入遊賞風景，但那是十多年前的往事，如今早已記憶模糊。此次能夠再次搭船進入遊賞，心情特別興奮，尤其聽說十二月，小三峽兩岸懸崖峭壁早

作者與梁笑梅教授合影於紅色跨河大橋

已被大片的紅葉佔領，視覺絕佳，更充滿了期待。

我們搭的這條船叫「小三峽5號」，船上坐了約一百二十多人，都是從中國各地、海外到此開會和采風的學者及文藝界人士。船兒駛出碼頭來到兩江交匯的一大片水域後，立即調轉船頭往一條紅色的跨河大橋駛去，這條紅色大橋是進入小三峽水域的門戶。

進入小三峽水域，兩岸高聳入天的懸崖峭壁即逐漸映入眼簾，令人感到無比震撼。雖然僅是支流，但我們的船行駛在河中，仍像一葉飄萍般渺小。船不斷沿著河道逆流前進，不久兩岸峭壁上即可看到一大片一大片的紅色，這即是美麗的峽江楓紅了。峽江楓紅，層林盡染，把個冬寒的兩岸青山染得特別富有詩情畫意。古往今來，多少文人墨客來此旅遊，留下無數美麗的詩篇。例如杜甫的：「玉露凋傷楓樹林，巫山巫峽氣蕭森。江間波浪兼天湧，塞上風雲接地陰。」（秋興節選），又如唐·喬知之的：「楚雲何逶迤，紅樹日蔥蒨。」（巫山高節選）等皆是。

由於距離很遠，加上天空飄著細雨，視覺有些模糊，故我們從船上欣賞，感覺有些朦朦朧朧的，彷彿人間仙境。小三峽的紅葉，據說要到寒冬才轉紅，不像一般地區的秋紅。

這裡的紅葉，遍佈在懸崖峭壁、荒山野嶺，面積龐大，氣勢萬千，頗有男兒大丈夫心雄萬丈的氣慨。而紅色代表喜慶、吉祥，又讓人想到年節、婚嫁，頗有小家碧玉的遐想。

　　我們搭乘的遊輪一路往上游前進，站在船邊觀賞兩岸風景，寒風習習，雖有些兒冷，但大家不願放棄美好機會，頻頻從船艙走出到甲板上獵取鏡頭。而兩岸水面也時有意外的風景出現，偶而冒出水面的幾隻野鴛鴦，現代版的凌空棧道，以及一艘艘快艇從我們身旁疾疾略過，在水面上激起一條長長的浪花。這些都成為大家驚呼、觀賞以及入鏡的對象。

　　小三峽全長三十多公里，由下游往上又分三個景區，分別為龍門峽、巴霧峽、滴翠峽。我們的船在山光水色中不斷前進，約一個半鐘頭後來到上游滴翠峽旁的一個千年古鎮── 大昌古鎮。

　　大昌古鎮已有一千七百多年的歷史，是三峽地區唯一保持完整的古城。二〇〇三年五月三峽大壩工程開始蓄水，它原本將被淹水於滔滔河底，倖賴相關單位積極搶救，於早一年一磚一瓦搬到上方重建。這是世界古民居保護史上的

大昌古鎮碼頭

奇蹟。

　　我們下船午餐並遊覽重建的古城。

　　古城佔地約數十畝，面積不大，是一座袖珍型的小城。有兩句詩可形容它：「四門可通話，一燈照全城。」我們由東門進入參觀，街道上的店家都在販售一些三峽奇石與古玩、山貨等。兩旁建築是明、清風格，古樸典雅，保留十分完好。不久我們來到南門，只見城牆上一顆約百年以上的老槐樹，鬱鬱蒼蒼枝葉茂盛的生長著，經導遊解釋，這棵老槐樹也是當年拯救於水下，歷經艱辛才讓它又原地重生，不禁令人嘖嘖稱奇。

　　參觀完了古城，我們又搭車至碼頭上船繼續下午遊程。船順流而下約十餘分鐘來到另一個水上碼頭，這裡是換小船遊覽小小三峽之處。我們全船的人換乘三艘小船進入。小小三峽記得十多年前我來時，乘坐小船進入，河水清澈見底。船行至某些河段，由於水淺湍急，船工還要下船拉縴，十分辛苦。如今隨著水位上漲，這些情景都已不復重見。小船不斷逆河前行，約二十餘分鐘抵達航程盡頭即按原路返回，風景與小三峽並無太大差異。

　　遊完了小小三峽，我們復轉搭乘渡輪順流返回巫山鎮。下午五時左右我們終於又抵達巫山鎮碼頭上岸，結束了一天愉快的小三峽之旅。

　　冬遊小三峽，一趟詩意之旅。

（『新文壇』季刊）

車過馬六甲

　　車過馬六甲，參觀一些和中國有關的歷史遺跡，內心充滿久久的悸動。

　　三寶井、三寶山、三寶太監鄭和石雕像，甚至大伯公廟（土地公廟）。這些和中國有關的地名、人名、建築物，怎麼會出現在離中國幾千公里以外的地方？而在大伯公廟外賣水果的小販，年約五、六十歲，皮膚黝黑，不似中國人，他們怎麼會說得一口流利的國語，甚至閩南話「馬ㄟ通」。

　　記得求學時期，歷史課本中曾讀到，明朝明成祖時期，為宣揚國威等諸多原因，曾派三寶太監鄭和七下西洋，到過蘇門答臘、馬六甲、印度、阿拉伯等地，最遠曾抵達非洲東部。那些年代裡發生的故事，也曾在一本通俗演義小說「三寶太監下西洋」裡更仔細的精彩閱讀。然而那終究只是歷史的一部分，經過幾百年時光的滔洗，又在遠離中國幾千公里遠的異域他鄉，恐怕一切都早已飛灰煙滅，不復追尋。想不到此次旅行，在馬六甲這個小地方，竟然還能找到六百年多前遺留下來的歷史痕跡，讓小時候讀到的故事情節部分真實重現，豈不令人內心悸動不已？

　　三寶井，一口小小的井，就在大伯公廟的後院空地上，如今井口已被一個圓錐形的鐵罩罩住，無法一探井水深淺。

不過據廟裡的執事人員說，此井幾百年來從未枯過。

「井水清甜，水位很淺，歡迎大家品嚐。如今只要轉一轉水龍頭即可，不用親自打水……」

於是大家紛紛前往水龍頭旁邊，用雙手捧一把井水洗臉，順便一嚐井水的甘甜。

據說這口井是當年明朝漢麗寶公主下嫁馬六甲小國蘇丹國王滿素沙，為解決陪嫁而來的千餘名婢女、侍衛的飲水問題而開鑿。這口井位在三寶山下，而三寶山正是當年蘇丹國王賜地給公主侍衛等居住的地方。

據史料資料記載，三寶山為一大片低矮山丘，總面積約有數十公頃，可以想像當年人馬雜遝，繁榮熱鬧的景象。隨著歲月的流逝，當年伴隨公主前來的人員一個個老去、死亡，他們的遺體就近集中安葬在三寶山的其中兩個小山丘。這就是如今已成歷史古跡的三寶山公墓。據調查這兩個公墓共約有一萬兩千多個塚，每個塚碑都清楚記載著每位死者的生前籍貫、姓名等資料。惟經過幾百年風雨的侵蝕，墓碑都已斑駁剝落，碑上文字大都已無法辨認。據當地導遊阿強說：

「山上墓塚經過幾百年時光，且遠離中國幾千公里，目前十之八、九已沒有後代前來祭祀……」

由於年代久遠，且遠在異域他鄉，曾經有一段時間，三寶山的存廢成為馬來西亞政府考慮的問題。幸賴一些當地華人領袖的極力爭取，最後集資將整座山的所有權購買下來，風波才告平息。

由於我們時間有限，僅僅是路過匆匆一瞥，沒有親自上山感受一番，頗覺遺憾。據導遊說，目前墓地也成為休閒公

園，很多當地居民常利用假日前來踏青、郊遊。

在大伯公廟裡的圍牆右側，有一尊高約七、八十公分的鄭和石雕像，石雕像站立在一個四方形的石柱上。鄭和全身戎裝，身披一件長氅，腰間佩帶一把寶劍，右手握住劍柄，儀態威武端莊，令人彷彿見到當年他率大軍前來的情景。

何以鄭和僅以石雕像置於廟內一側，而無法供奉在廟中大堂接受香火膜拜？據導遊阿強解釋，因為鄭和是太監，且是回教徒，故不宜供奉於廟裡大堂，聽來也頗有道理。

車過馬六甲，參觀一些和中國有關的歷史遺跡，內心充滿久久的悸動。

（『新文壇』季刊）

天門山記遊

　　天門山景區位於湖南省張家界市南方約八公里處，面積廣闊，風景優美，和相鄰不遠的武陵源風景區裡的黃石寨、天子山等，同為旅遊張家界不可或缺必遊的景點。武陵源風景區的美在於其山如一根根天柱，氣勢雄偉，令人稱絕。而天門山的山峰，雖亦有奇峰處處，但其最大的看點，卻是一個兩山相聯之間，洞開的宛如天門的大山洞。此洞位於海拔一千五百餘米的峭壁上，洞高一三一餘米、寬五十七米、深六十米。西元一九九九年，此洞曾因有「穿越天門，飛向二十一世紀」的飛行機特技表演，使其知名度大開，廣為人知。

　　據史料記載，天門山古稱雲夢山、嵩梁山，是張家界最早被記入史策的名山。三國吳永安年間，此山因地震，忽然峭壁洞開，玄朗如門。吳王孫休接獲報告，認為是祥瑞之兆，遂更名為天門山。

　　天門山雖距離人類居住的城市不遠，但因其山勢連綿陡峭，古時道路未通，欲前往攀登一探究竟，困難重重。近些年來，因大力發展觀光，進山的公路等設施皆已完備，欲前往觀光變得輕而易舉。

　　首先，我們來到市區內的索道站，大家井然有序的排隊搭乘纜車。纜車全長七四五五米，是全世界最長的登山索道。

中間僅停兩站，即中站和終點站。中站在山腰，下纜車後再轉乘景區公車可至天門洞參觀。終點站在山頂，下纜車後可在面積廣闊的山上漫步、賞景。

　　纜車緩緩啟動了，首先穿越過市區道路、屋頂，朝山腳下奔去。不久來到山腳下，由纜車上下望，一片沃野平疇，古樸民宅散佈其間。纜車續往前奔去，突然迅速拉高、拉高，一直拉高，啊！眼睛往下望，我們已處身於高空中，腳底下是萬丈深淵的森森林木，令人膽顫心驚。眼看著我們乘坐的纜車一直拉高，就要碰觸到迎面山壁，卻突然一個轉身，已輕輕越過。又持續下降往另一個深谷探底、探底。不久又拉高、拉高。在高空中仰望群山孤峰頂上，矗立的一座座高聳基架，我真不知那些萬斤重的鐵架，當初是怎麼克服重重萬難安裝上去的？

　　纜車持續往上拉高，啊！一團雲霧襲來，竟把我們的纜車吞噬。我們陷身虛無飄渺之中，好似騰雲駕霧，內心卻感覺有些迷茫、不安。正待開口呼救時，纜車一個轉身，已脫離雲霧進站了。我們終於抵達山頂，費時約半個多鐘頭。

　　天門山頂上，沿著懸崖絕壁凌空修築了一條鬼谷棧道，人行其間，既感驚險萬分，卻也覺得風景絕美。走著走著，來到一處「玻璃棧道」區，只見萬丈深淵就在透明的腳底下，每邁出一步都是困難重重，既危險又刺激，大家驚呼連連。幸好全體最後都「有驚無險」通過。

　　遊完「天空步道」，我們又來到纜車站乘坐纜車到中站，下了纜車續搭景區公車往山頂，欲一窺天門洞的奧祕。由纜車中站至天門洞，直線距離不到十一公里，卻因山勢陡峭，

驚險萬分的天空步道

公路開得彎彎曲曲，千迴百轉。其一百八十度大轉彎處，竟達九十九處之多。我們的車子不斷盤旋而上，從山頂上望著我們的來時路，彷彿飛龍盤旋，直達天際，令人嘆為觀止。車子費時半個多鐘頭，終於「氣喘噓噓」的抵達天門洞之山腳下廣場。

從廣場上抬頭仰望天門洞，一個約略長方形的透明洞體，洞的上方被白雲罩住，看不清楚整體輪廓。而欲登到洞頂，需爬九九九個陡峭石階，嚴重考驗著遊客的體力與意志力。很多遊客考量自身情況，僅在廣場上攝影，證明「到此一遊」。有些遊客爬到一半，意志力不夠而放棄。秉著一股好奇心與好勝心，筆者氣喘噓噓，經過幾次略為休息，終於攻頂成功。洞區範圍不是很大，中間開闢了一口池塘，供人許願。另有一處稍為布置的景

台客攝於天門洞山腳下

點供人攝影留念。在洞區範圍可來回觀賞兩邊山腳下風景。
而俯視我們剛剛爬上的九九九道台階，像一把天梯懸掛在近
乎垂直山壁間，令人嘆服。

　　張家界天門山之旅，除了遊覽天門洞、天空玻璃棧道，
搭乘世界上最長纜車，另也在前一晚於天門山腳下，欣賞了
一齣以時景山水為背景的「天門狐仙秀」，真感不虛此行。

（『郵人天地』月刊）

武陵源風光〈沙畫〉

俄羅斯之旅

　　俄羅斯，浩瀚的土地，遙遠的距離。往昔是共產主義的發源地，極權統治鐵幕重重的國家，外人很難一窺究竟。如今拜改革開放、發展經濟之賜，它也准許外國人進入觀光、旅遊。尤其在每年五至九月，氣候宜人，台北至莫斯科有全祿航空公司開闢每星期一班的直航飛機。至俄羅斯旅行，變得十分方便、快捷。由於上述原因，我參加了八天七夜的「俄羅斯之旅」。雖屬來去匆匆，僅在首都莫斯科與第二大城聖彼得堡兩地參觀，但也頗有感觸。以下試以幾點，略述心得。

一、紅場巡禮

紅場一景（遠方為聖巴索大教堂）

　　俄羅斯的紅場，相當於北京的天安門，我們的總統府前廣場。紅場面積長500 公尺寬 150 公尺，相當開闊。周圍遍佈先烈陵寢、人民英雄塚、博物館、百

貨公司與教堂等，建築物都宏偉壯觀，氣勢非凡。紅場的「紅」，在俄文中有「美麗」之意。

紅場是俄國每逢重要節日閱兵及慶典的集會場所，如今平時也開放讓一般觀光客參觀。走在人來人往的紅場上，看來自全世界國家的觀光客熙熙攘攘，拍照的拍照，休閒的休閒，和自由民主國家的廣場一樣，完全感覺不到當年共產國家極權主義肅殺的氣氛。我們選擇在最適當的角度，以廣場一側最有名造型最醒目的聖巴索大教堂為背景，拍下了一張團體照。

從紅場一側大門走出，經過一座亞歷山大花園，可以抵達克里姆林宮。克宮始建於 12 世紀，至今已有八百多年歷史，經過歷代沙皇整建，如今規模龐大，古色古香，1990 年已列入世界遺產。

二、莊園作客

抵達莫斯科的次日，旅行社安排我們前往郊區的一處私人莊園別墅作客。此種莊園俄語叫「達洽」。以前是俄國貴族以及上層社會人士，為了遠離市區的工業污染及日益擁擠的人口，提升生活品質而蓋的度假別墅。如今有些也兼做起生意，賺些外快。

下午四時許抵達，莊園男女主人站在大門入口歡迎我們，女主人還雙手捧著一個大麵包，請我們每人撕一塊沾鹽巴吃，好吃極了。

莊園範圍約百餘坪，建有兩棟房子，一棟當住家，另一

棟接待客人。其餘空地上種植了一些果樹及蔬菜類植物。由
於莫斯科冬天極冷，故蔬果類植物上建有透明屋保護。入內
參觀，但見蕃茄樹結實累累，小黃瓜藤類植物也長勢良好。

晚餐主人以自家火爐烤的各式麵包及燉牛肉湯、炭烤肉
串等食物招待，餐宴期間女主人還盛妝為我們表演了餘興歌
舞。至晚上七時許，大家酒足飯飽，才在依依不捨中和主人
道別。

三、地鐵初體驗

莫斯科的地鐵建於史達林時代，至今已有六十餘年歷
史。數十條縱橫交錯的路線，貫穿整個莫斯科城，交通非常
便利。有些車站據說深入地下近百公尺，可見得當初闢建時
的困難度與艱辛。

當地導遊帶我們搭乘，並在三個較有特色的站讓我們下
車在月台上參觀並攝影。有一個站月台上有軍人執槍雕塑，
軍人旁還坐著一隻狗，據說摸摸這隻狗的鼻子會帶來好運，
於是大家紛紛上前撫摸，讓原本就光滑異常的狗鼻子更光滑
了。另一個站牆壁上繪有大型油畫，有些顯示莫斯科各民族
的團結精神，有些則是紀念某項戰爭勝利的畫面。

四、教堂參觀

據統計，百分之八十幾的俄羅斯人都信奉東正教。東正
教是基督教的一支，也崇拜耶穌及聖母瑪麗亞。經過幾百年

美輪美奐的洋蔥頂裝飾教堂

來歷代君王的推崇與興建，其教堂也一間比一間來得更規模宏偉，壯麗豪華。走進教堂內參觀，但見高聳的牆壁上，一幅幅聖者、天使的畫相像，祈禱室不時傳來信徒虔誠的歌頌聲。走出教堂，看教堂塔尖高聳，堪與天齊。很多教堂的塔尖不只一個，有的三、五個，甚至多達十餘個。塔尖下面則是洋蔥型的半球體，五顏六色的球體，聚集教堂頂端，煞是鮮艷迷人。據說這是東正教教堂的特色，洋蔥型半球體，冬天可防止積雪，另球體也象徵天地人合一的觀念與精神。

　　在莫斯科及聖彼得堡幾天，我們計參觀了天使報喜大教堂、聖母升天大教堂、耶穌喋血大教堂、聖以薩大教堂、救世主基督大教堂、喀山大教堂等等，另參觀了一所新少女修道院。

五、涅瓦河遊船

　　旅遊至第六天時，在聖彼得堡大城時，導遊安排我們一趟涅瓦河遊船之旅。下午五時許抵達市區內一條名為「噴泉」

的運河邊，上了汽艇，船順流沿著運河而下，穿過三條狹窄拱門的橋樑，終於抵達涅瓦河上。但見寬廣無邊的涅瓦河上，碧波蔚藍，川流浩蕩，黃昏時刻，鷗鳥成群翱翔其間。縱目四望，令人心曠神怡。

　　涅瓦河由聖彼得堡流入波羅的海芬蘭灣，導遊說從芬蘭灣搭船再行兩百餘公里就抵北歐國家芬蘭，可見此地已離北歐不遠。事實上，聖彼得堡這座建城不到三百年的大城就是一個歐洲城市，市區內的各種建築都充斥著巴洛式風格。

六、冬宮夏宮

冬宮與夏宮是歷代沙皇為展示皇權而興建的宮殿，建築物外觀美輪美奐，氣勢非凡不說，宮內的修建與裝飾更是富麗堂皇，競逐奢華。如今沙皇退位，皇宮也

夏宮外噴泉池的參孫噴泉

變成博物館，裡頭展示著琳瑯滿目的各種藝術品，包括名畫、玉石石雕、珍貴瓷器等。據說僅冬宮一處就收藏有兩百七十餘萬件的珍玩、藝術品等。若要仔細看，可能三個月也參觀不完。

夏宮外部還有一特色，在其外部花園的斜坡廣場上，修有一階梯式噴泉池。噴泉河道兩旁及圓型池中立有幾十位西臘神話人物金色雕像，如災難之神潘朵拉、美神維那斯、海神涅普頓等。每一座雕像就是一座噴泉。最醒目的是噴泉池中央的金色雕像——參孫噴泉，參孫是舊約中記載中的屠獅大力士，只見他兩手用力扳開一隻巨鱷的嘴巴，巨鱷嘴巴則不斷噴出數人高的泉水。

七、俄羅斯馬戲團

俄羅斯馬戲團的表演是世界有名的，據說經常應邀至世界各國表演，若其出國表演，則旅行至莫斯科只能錯失機會。很幸運的我們沒有錯失。

表演分上下兩場，每場 45 分鐘。上半場基本以人的表演特技為主，下半場則以動物表演為主。表演期間，時間緊湊，絕無冷場。

表演場地是室內一個大圓圈，圓圈外層層而高的座位，坐了約一、兩千位觀眾。大家都聚精會神觀賞，表演至精彩處大家紛紛大力鼓掌，現場充滿歡樂氣氛。

除了在莫斯科參觀馬戲團，在聖彼得堡我們也觀賞了一場「俄羅斯傳統歌舞秀」，同樣的節目精彩，值得一看。

八、俄羅斯套娃

俄羅斯最有名的擺飾產品是什麼？套娃。是的，俄羅斯

套娃充斥著各大賣場，套娃從三層到最大的十五層都有，價錢隨著機器大量製作或手工精心製作彩繪，差別也很大。由於先前至內蒙古中俄邊界城市滿州里旅行時已買過，故我對套娃不感興趣。倒是抵達莫斯科的次日上午，導遊帶我們到郊區的一家小型製作套娃工廠參觀，並每人發給我們一隻原木頭的小套娃，讓我們當場親自彩繪上色，帶回當「獨一無二」的紀念。

　　除了套娃，各大賣場也賣些紀念品，諸如風景掛毯、絲綢圍巾、彩蛋、妝飾木盒、毛帽、木製器皿等等。吃的東西據說有一種外面包裝繪有娃娃臉的巧克力，台灣買不到，於是有團員大量搜購，準備返台贈送親友。

　　最惱人的是某晚我去住宿附近的超市採購，買了一盒 12 色的價錢有點貴的彩色畫筆。回來仔細看包裝說明，竟看到「made in Taiwan」三個英文字，不知道該哭還是該笑。

九、兩個意外

　　在旅遊至最後一天傍晚時，我團竟一連發生兩個異外，

為此行增添了話題與插曲。其一：我團遊完涅瓦河遊船，大家下了船在運河邊馬路上行走，見有當地幾位年輕人在運河上玩衝浪機，就靠近河岸觀賞拍照，想不到一位年輕人竟開著衝浪機向我們迎來，突然一個轉向，河水濺起，直噴向我們而來，大家衣服相機都被濺濕了。當時下午六點多，黃昏時刻，天已有些冷，突被大量河水襲擊，雖身上有穿薄外套，但仍冷得直發抖。大家氣極大罵，但也無可奈何！

另一意外，在我們好不容易，於車上擦乾了衣服，準備吃晚餐前先至另一處大教堂參觀。下了車，天色已有些昏暗，正拍照時，突有一年輕扒手混進我團欲扒走一位男士口袋內的財物，幸領隊即時發現大力拍打扒手手臂，扒手才急縮手，沒有得逞。可見出門在外，真的要時時小心，大意不得。

結　語

出國旅遊，可以增長我們的見聞與知識。吾人在工作之餘，不妨精選一些自己喜歡的國家或城市，前往旅遊或自由行，讓我們的人生更美好，將來更值得回味！

（『新文壇』季刊）

五百羅漢下凡來

── 浙江開化根博園觀後記

　　五百羅漢，紛紛從天上下凡來，抵達開化，住進羅漢堂。您可以想見，那是怎樣的一種莊嚴、盛大壯觀的場面嗎？

　　祂們一尊尊，或立或坐；或盤腿沉思，或振臂高呼；或手執拂塵，或腳踏猛虎；或坦胸露肚，或垂首低眉……

　　數不勝數啊！望也望不盡！當你置身於莊嚴的根雕佛國佛殿長廊，虔敬的漫步而過，不知是你在欣賞祂們，還是祂們正在開示著你……

　　這五百尊羅漢根雕都有約一個人以上身高，根材取自千年以上龍眼木、荔枝木之樹根，經過由福建特聘而來的幾十位雕刻大師，不眠不休雕刻而成，每一尊都栩栩如生。難以想像，開啟這項工程之浩大與艱鉅……

　　目前，這五百尊羅漢根雕，正在申請吉尼斯世界之最。

　　而在占地約一萬兩千餘平方米的園區裡，不僅僅有令人眼花撩亂的五百羅漢，大雄寶殿內更有更為巨大令人嘆為觀止的未來佛、釋迦牟尼佛、四大天王等根雕。其中釋迦牟尼佛的根雕重達四十餘噸，據說當年根材之取得，係花費半年多的時間，由中緬邊境一路繞道長途跋涉而來……

　　除了與佛有關的根雕外，園內還收藏了大大小小各式各樣造型奇特的根雕工藝品數千件，可以駐足細細觀賞，若十分喜愛，也可以價購帶回家永遠珍藏。

　　參觀完了室內根雕藝品，走出戶外，根博園廣闊的園區內，處處名花異草，林木蒼蒼，奇岩怪石，幽湖錦鯉，更讓人心曠神怡。

　　開化根博園，華夏一絕，世界之最。遊覽過的人想再去遊覽，沒去過的人要想辦法儘快前往。

　　向創辦人根藝大師徐谷青先生致敬。據說他為了創辦此園，數十年來不眠不休，甚至如今已過中年，仍然單身！

　　　　　　　　　　（『郵人天地』月刊）

有這麼一顆奇石

有這麼一顆奇石，它「夢斷三更美女，愧煞天下男兒。」（北京詩人‧葉文福）

有這麼一顆奇石，它「孤留一柱撐天地，俯視群山盡子孫。」（明朝‧李永茂）

這顆奇石究竟在哪兒？有多大？有多神奇？

不見不知道，見了嚇一跳。只要是見者莫不紛紛稱奇，贊賞這造物主大自然巧奪天工的傑作。

就在粵北韶關的丹霞山景區，這顆奇石隱身其中。當你搭車抵達，走過一段彎彎曲曲的山中小徑，它就赫然出現在你的眼前。

這顆奇石高二十

八公尺，直徑七公尺。就像一根天柱般，直立於一座丹霞地
貌的小山旁。它的造型、比例，和男人胯下的那「根」，簡直
就像到了極致。

　　它到底是怎麼形成的？據說這是幾千萬年時間，丹霞地
貌經過無數風蝕雨淋的結果。但為何如此像極了男人的那
「根」，誰也無法解釋。就像台灣北部野柳海邊的女王頭奇石
般。我們只能一再贊歎大自然造物主的神奇！

　　這顆奇石被命名為「陽元石」。天地萬物，陰陽相生，那
麼也有「陰元石」嗎？有。就在景區的另一處偏僻隱密的山
間，一處石壁堪堪出現一條長約七、八公尺的裂縫，和女人
的私密處也十分相像，被命名為「陰元石」。

　　前往粵北韶關丹霞風景區旅遊，一次見到了兩顆造型如
此奇特的石頭，感覺不虛此行。

武陵農場二日遊

　　妻的好友蓮英打電話來詢問:「想不想三月中旬去武陵農場，我們有兩張富野度假村的住宿優待券。」

　　妻詢問我的意見，我考慮了一下就答應了。

　　多年前，曾和妻開車去過武陵農場，且在裡面的武陵賓館住過一個晚上，次日並走路來回共三小時到桃山瀑布去參觀。記得那次去，因非假日且非花期，農場內遊客稀疏。不過感覺農場佔地真大，自然風景也美，值得再次前往。

　　終於出發的日子到了。

　　早上八點左右，我們開車從小鎮家中出發，走北二高到新店交流道下。在新店捷運站載了蓮英夫婦，旋即車子繼續往北宜公路開。由於時間充裕，我們決定不走雪隧。

　　一路相互聊天並欣賞車窗外美景，約十點半我們抵達坪林街道。停車進入一家商店每人點了一碗米粉湯及豆乾等小菜，吃得津津有味。

　　吃完了繼續上路，由於今天是星期五非假日，北宜公路上人車稀少，我們車行順利，約中午十二時抵達宜蘭市區。

　　在市區內的商家採購了一些水果及乾糧，我們繼續上路。由於剛在坪林吃了米粉湯，感覺不餓，於是也就沒有再吃午餐。心想屆時餓了，隨時停車路邊解決。

　　車子繼續往武陵農場方向道路開，逐漸進入山區，路兩邊商家越來越少，終至車行在山林曠野之中。此時下午一點多，肚子有些餓了，如何是好？

　　大家都不願說話，只是雙眼盯著車窗外，希望能發現一些賣吃的小店。只是偶爾發現一些原住民村落內似有小店，但因非假日，也都沒開門。沒辦法，繼續往前走吧！

　　又開了半個多小時，將近下午兩點，突然一道我們企盼的風景出現在眼前。在路旁一棵大榕樹下，一攤小吃店正熱騰騰的做著生意。

　　我們趕緊停車，來到攤前，也來不及詢問價錢，志剛（蓮英的老公）一連點了幾碗乾麵、貢丸湯、粽子、臭豆腐等。大家餓壞了，每個人都吃得津津有味。

　　吃完了過時的午餐，我提議大家下到路邊的蘭陽溪撿石順便也算走路運動一下，於是大家紛紛往河床移動。

　　在河床上運動半個多小時，我們繼續開車上路，詢問了麵攤美麗的老闆娘，她說還有一個多小時的車程即可抵達武陵農場。

　　由於中途道路封閉休修建，我們被堵了約半個多小時。不過下午五點多，我們終於抵達了武陵農場並住進富野休閒度假飯店。

　　富野飯店是農場內三家住宿飯店中最豪華也是最貴的。住宿一晚包括晚餐及次日早餐，平日即要四千多元，假日更高達近六千元。我們有優待券，但也要繳近四千元。這種高水準消費，平常我們是享受不起的。

　　不過貴有貴的道理，不但房間整潔寬敞舒適，晚餐早餐

粉紅色的櫻花滿山盛開

菜色也不錯。旅館內更有泡湯區，小提琴演奏會、星空研習營、親子教室等，讓你整晚都不會寂寞。

次日一早，我們吃了早餐，隨即開車在農場內看風景。雖然已經三月中旬，不過農場內道路兩旁仍有甚多櫻花樹，枝頭上開滿了櫻花。我們車開抵一處櫻花林，只見櫻花林上空被覆蓋了一層透明的塑膠布，以讓櫻花免於過早被風雨打落。塑膠布保護的園區內，各式櫻花開得燦爛異常。大家紛紛拿起相機，尋找最佳角度，留下最美的身影。

參觀完了櫻花林，我們又到其他景點繞了一下。由於時間有限，來回三個小時的桃山瀑布就免了，僅在出發約五分鐘的一座吊橋留影即返回，因我們要趕在十一時前退房，趕回台北。

十點五十分，我們終於退了房。車子順著昨日來的道路返回。到了宜蘭市區，我們上了高速公路，穿越雪隧，終於在下午五點左右返回家中，結束了兩天一夜的武陵農場行。

（『新文壇』季刊）

三清山記遊

　　三清山位於江西省上饒區玉山縣，自古以來即是有名的道教聖地。如今在海拔一千七百多公尺的山頂上，還存有一大片的規模龐大、古色古香的建築群。今人驚嘆，古人為修築這些建物，所付出的心血與勞力。三清山取名的由來，是因山中有玉京峰、玉華峰、玉虛峰三座山峰，遠遠看去，有如道教尊奉的玉清、上清、太清三位神仙故名。

　　三清山風景區範圍甚廣，以下僅就我們此行旅遊過的幾個景區，略加介紹。

　　首先遊覽的是萬壽園景區。

　　萬壽園景區位於全長兩千四百多公尺索道終點的附近，全區步道呈橢圓形狀，走完一

司春女神

圈約要花費一個鐘頭。景區內最著名的景點「壽翁彭祖」，是
一大型沿山體斜坡雕塑的水泥人頭雕像。彭祖的白色鬍鬚，
沿著山體斜坡如白色瀑布般垂下，頗為壯觀。本區也因有此
巨型雕像故名。園區內的步道高低起伏，走起來相當費力，
但站在高處遠眺，視線開闊，風景絕美。園區內另有一些奇
岩怪石，諸如海獅吞月、觀音賞曲、犀牛石等，維妙維肖，
令人驚嘆！

　　參觀完了萬壽園區，中午在山上賓館吃完了午飯，我們
繼續參觀第二個景區 —— 西海岸景區。

　　所謂西海岸景區，這個「海」並不是真正的海，而是雲
海的海。這個景區的特點是有一條全長將近四公里的景觀長
廊步道。這些步道闢建於海拔一千六百多公尺高的懸崖峭壁
之間，人行其上，不但如履平地，且風景絕美。山景美，雲
海美。各種奇花異樹，觀之不盡，賞之不完！

　　觀賞完了
西海岸景區，
我們立即轉進
另一個南清園
景區。

　　南清園景
區奇岩異石更
多，也更為有
名。諸如狐狸
啃雞、萬笏朝
天、玉女開

巨蟒出山

懷、神龍戲松等等。而其中有兩處最為有名，可以說是遊三清山必看的景點，它們是「司春女神」、與「巨蟒出山」。

司春女神——在海拔一千六百多公尺的一處高山平台上，兩顆巨石堆疊在一起，大者在下，小者在上。從遠處觀之，恰似一位秀髮飄逸的東方女郎，盤腿端坐，正望著腳底下的群峰聳立，雲海蒼茫。

巨蟒出山——一根天柱，鶴立雞群般巍然聳立於群山之間，高約數十層樓。從遠處觀賞，其頂端好像蟒蛇之頭。令人駭異，幾千萬年前，造物者是如何以巧手造成？

花了一整天，參觀了三個景區。直到下午六時許才走完全程，回抵賓館休息。當晚我們並夜宿於此。

夜晚的三清山，山風徐徐，涼爽舒服。走出戶外，眺望夜空，但見天上腳底，星群、燈火交互輝映，頗有令人幾疑置身天上人間之感。而遠處一些目力所及的高聳山峰，頓時變得朦朦矓矓，充滿神秘色彩。

當夜，大家都捨不得睡覺，紛紛在戶外泡茶聊天，直到深更才返屋休息。

（「藝文論壇」季刊）

計程車司機的溫馨情

隨團前往四川成都旅遊，因為要私底下和當地幾位朋友見面，遂覓得一個傍晚晚餐時間，向團隊告假，在街頭攔了一輛計程車匆匆前往。

計程車司機是一位年約三、四十歲的中年人，上了車坐定後，我逐漸隨口和他攀談。他告訴我，他原本是市裡的公交車司機，因嫌每天開車時間過長且待遇一般，兩、三年前遂和友人合資購買了這輛車，兩人輪流著開，如此較自由，掙的錢也比以前好些。

聊及交通問題，他說最近幾年成都市每逢早、晚上下班時間，道路總是塞得很厲害。「有時車上坐了客人，碰到塞車，錶照樣跳，我感覺很不好意思。」他舉例：「某次有一位客人上了車要到甲地，原本不塞車只要十來分鐘，卻因碰到塞車，結果遲了近半個鐘頭，車資也由原本約不到二十元（人民幣）跳到三十七塊半。」「車子好不容易抵達後，我向客人說真不好意思，就收您二十元就好了……」

聊著聊著，車子駛經幾個十字路口，稍為停車等待了一會兒。不久，來到一條巷子，巷子口站了一位交管人員擋路。司機說：「平常這個時間這條巷子已可開放通行，今天卻仍在交管，看來我們不得不繞點路……」我點點頭。車子又駛了

約五分鐘，終於抵達目的地。此時車資錶跳到二十八元。

　　我從口袋內掏出一張一百元人民幣給司機找錢，司機邊找錢邊說剛才塞車又繞道，就算您二十元就好了。接著找給我八十元人民幣。我想剛剛塞車並不嚴重，繞道也情非得已，豈能……立即從八十元中抽出一張十元紙鈔遞給他說：「不用找了！」然而司機仍然堅持只收二十元。兩人如此互推了幾回，我只能收回那張十元紙鈔。

　　下了車，雖然十一月的成都街頭已有些寒意，但我的內心卻十分溫暖，因為坐了幾十年的計程車，從來沒有碰過這麼體貼客人的司機。尤其我又是遠從彼岸海峽千里而來，對這個都市完全陌生。

　　　　　（入選湖南長江文藝出版社『2015 年
　　　　　台灣年度散文精選』）

導遊阿強

去新、馬兩國旅遊，當我們的遊覽車由新加坡轉入馬來西亞時，導遊阿強來接我們的團，負責此後四天三夜在馬國的行程。

阿強一上車，首先自我介紹，他是華人第三代，第一代他爺爺來自廣東潮汕。

「我也是中國人。」阿強最後下了結論。

阿強隨後講了一些他童年時，和爺爺、父親相處的情形，爺爺早年胼手胝足在南洋開了一家小雜貨舖，一天二十四小時幾乎都守著店面不離開半步。小雜貨舖收入賴以養活一家數口。然而年歲日大，不得不考慮到小店接手的問題，他以不露痕跡的方式教導他的兒子也就是阿強的父親。阿強雖說當時年僅數歲調皮搗蛋，但朦朧中也能感受到祖父對他們的愛。

「看到了您們，就想起了我爺爺……」由於我們團裡大部分都是六十歲以上的長者，最後阿強有感的說。

於是阿強就把我們當起了他的爺爺，沿途照顧無微不至。賞遊各地風景區詳細的講解，即使購物也要我們：「拜託大家在裡面待滿四十分鐘就好，讓我對上面有個交待……」

遊覽到第二天，有一位團員因白天下雨路滑，導至走路不小心摔了一跤。晚上返回旅館休息，半夜竟然發起高燒。

阿強立即帶著他打車到十餘公里外的市區去就醫，如此這般折騰到午夜三時過後才返回。

由於最後一天，團員中有三位要先離團去機場搭機，阿強特意找了一輛可靠的計程車事先談妥價錢，載他們直奔機場，如此讓他們省了很大的麻煩。臨行前有位團員特意塞給他幾塊坡幣。阿強先拒絕，最後才勉強接受。

由於阿強的幾天貼心服務，令所有團員都十分滿意，故臨別前有位團員特寫了一首小詩送給他。詩曰：「言必稱華人後裔／一口流利的國語／逢景詳加講解／永遠笑容可掬／／異國的親密兄弟／旅遊的最佳伴侶」

（新加坡『錫山文藝』）

楊麗芬作品

貼心孝順的女兒

　　前往中國大陸江南地區旅遊，當我們的遊覽車抵達無錫時，上來了一位當地的女性地陪。首先她自我介紹：「我姓蔡名吟，你們叫我小蔡就好了。我知道你們台灣有一位很紅的歌星叫蔡依琳，若你們要叫我蔡依琳我也不反對。」她的風趣幽默的自我介紹，頗引起大家的興趣。

　　小蔡今年三十餘歲，已婚，育有一子。她說她還沒有到過台灣，不過由於當導遊的關係，經常和台灣人接觸，故她對台灣倒是滿了解的。就以歌星來說吧，她說：「現在我們這邊的很多年輕人都很崇拜周杰倫，我也滿喜歡的，不過我的媽媽就很討厭他。」「為什麼呢？」一位坐在前座的團員問。「我媽說周杰倫唱的歌她一句也聽不懂……」「你們知道我媽最喜歡你們那邊哪位歌星嗎？我媽最喜歡蔡琴了，只要是蔡琴出的 CD，她幾乎都已搜購齊全。每天早晚都要聽，而且百聽不厭……」

　　「前幾年蔡琴曾來大陸開演唱會，我媽知道訊息後很想去聽，看看蔡琴本人。不過由於演唱會都是在北京、西安、上海等大城市舉行，路途遙遠，她的身體不太好，當然不可能前往。」小蔡繼續說著：「去年八月中秋節前幾日，蔡琴的演唱會終於要到我們無錫來舉行了，看到報導知悉消息時，

我就決定要去買票，以完成我媽的心願。」「你們不知道我媽這一生過得多辛苦，我爸是醫生，在文革時卻被鬥爭而死，我媽從小把我們五個子女拉拔長大……所以我對發動那場鬥爭者至今都留有恨啊……」小蔡黯然的說。

「由於我當導遊的工作十分忙祿，直到我記起趕去售票處時，所有的票都已被搶購一空。為了完成媽媽的心願，只有買黃牛票了。演唱會的票分成好幾種，黃牛向我說只剩下最貴的一種票。你們知道票價多少錢嗎？人民幣一千五百元，等於你們台幣七千多元，這約等於我幹導遊一整個月的薪水。然而更黑心的是，黃牛要賣給我的價錢是兩千元，我怎麼買得下手？」大家一面聽著，一面也不由自主的為小蔡感到為難。

「後來我轉身一想，媽媽年紀這麼大了，做子女的能為她完成的可能就是這麼一個心願，只好咬咬牙買了。最後經過一番殺價，以一千八百元成交。」大家心理暗暗贊成她的決定。「可是票拿回去，要交給她老人家，還要經過一番算計。因為老人家生性節儉，妳買這麼貴的票給她，她肯定捨不得。即使最後去看了，心情肯定也是不好的，你們說是嗎？」停頓了一會兒，小蔡接著說：「後來我想到一個辦法，我告訴我媽這張票是我們旅行社老總送的。我媽就很懷疑問我，妳們老總怎麼會送妳這麼貴的票，該不會是他對妳有甚麼想法吧！天哪，媽！妳想到哪裡去了，是因為我上個月的業績全公司第一名，我們老總為了獎勵我，才送我這一張票的……」

「後來呢，後來妳媽有沒有去看蔡琴的演唱會？」一位團員提出了問題。「後來我媽去看了，回來她告訴我，近距離

看到蔡琴本人還真有些失望，不過聽了歌聲最後她還是覺得
值回票價。」

（泰國『華副園地』）

名畫家楊增棠國畫作品

朝聖之旅

　　位於南投縣日月潭畔的文武廟又寄來詢問函，表示今年七月二十日是關聖帝君一八五五週年聖誕千秋，廟方將於當日夜晚七時舉辦頌經禮懺，八時起舉行三獻典禮，歡迎我們偕同帝君分靈蒞廟參典。這已是我們不曉得第幾次接到的邀請函，以往由於上班生活較忙碌，一直沒能參加。最近兩年多來，由於已從工作崗位退休，時間較充裕，去年原想參加，後因其他原因未克成行，今年決定準時前往參加，於是早早就將回函寄出。

　　七月二十日這天終於到了。早上十點多我和妻一切準備就緒，於是將供奉於神桌上的關聖帝君神像請下來，雙手捧著下樓，小心翼翼的安置於汽車副駕駛座。繫上安全帶，啟動車子，一路浩浩蕩蕩沿三號高速公路開往南投。

　　下午三點多終於抵達位於風光明媚日月潭畔的祖廟，將車子停妥於廟前馬路邊的停車場，於是拿出手機打電話給廟方人員，告知帝君分靈抵達，請準備接駕。雙手恭謹捧著聖像，由停車場過馬路，走進廟前廣場，踏上第一殿的廟前階梯，抵達大門口。此時廟方接駕人員已在大門口等待，從設有障礙禁止遊客進入的大門內接過聖像，我進殿接過聖像復穿出第一殿，來到第二殿，又上了階梯，終於來到供奉關聖

帝君的第二殿大門口，此時殿內鐘鼓樂齊鳴，以迎帝君。在鐘鼓樂聲中，廟方執事人員將聖像從大門內接入，擺放於供人膜拜的大殿神桌上。

　　神像終於又回到祖廟了，這不由讓我想起約十多年前，我請回神像的經過。那是一九九八年夏季，我陪一個大陸詩歌訪問團至中、南部旅遊訪問。回程某日抵達日月潭，參觀文武廟。在短短約一刻鐘的自由參觀時間中，我來到武聖殿，見大殿一側供桌上擺放了幾十尊小的帝君神像，遂一時興起詢問廟方人員，如何請回帝君分靈。經廟方解釋後，當場擲筊徵得帝君同意，匆匆登記完姓名、地址等聯絡方式，捧起一尊神像返回車上。

　　由於是一時興起，其實自己一向並沒有什麼宗教信仰，

上了車就有些後悔。但已來不及了。請回神像一事，因事前未和老婆商量，怕回去挨罵、反對。於是就將神像寄存在一位好友處，暫不請回。如此又經過將近一年時間，在朋友催促下，才將神像請回，但暫放在其他房間。又經過一段時間，徵得太太同意後，才正式將神像供上客廳神桌。

帝君神像供上客廳神桌後，每逢初一、十五或年俗節慶，太太和我均會準備三牲果禮，燃香祭拜。十多年來行禮如儀。子曰：「敬神如神在！」經過十多年來的相處與祭拜，如今這尊關老爺也已成為我們家中的一份子。不期盼關老爺幫我們升官發財，只祈求保佑全家平安過日已足……

文武廟的執事人員辦事週到，除安排我們夫婦免費住宿

廟前瀕日月潭畔廟方投資蓋的旅館外，甚至連晚餐及第二天的早餐也都免費招待。當然我們也不能佔廟方的便宜，和妻商量後，我和妻各以對方的名義共捐給廟方四千元。執事人員開收據給我們說，捐兩千元起就會將捐贈者的大名刻在廟裡的「功德林」牆壁上。我和妻聽了很高興，總算我們也奉獻了棉薄之力。

當晚七時起，廟方請來幾位樂師，包括四拉二胡的老者、一位琴鍵師、一位鑼鼓師。在絲弦鼓樂聲中，第一個小時先舉辦頌經禮懺。八點起隆重祭典儀式開始了。三位主祭者站中間，口中不斷唸著各種祝禱詞，台下幾十位包括我們夫婦以及來自全省各地的信徒跟著不斷跪拜，如此經過一個小時終於大功完成。儀式後廟方又準備了豐盛的點心供大家享用，真是想得太週到了。

第二天上午九時許，我們退了房，至廟裡領回帝君分靈神像（廟方還送我們一大袋的壽桃壽果）。將帝君神像安置在副駕駛座上，我們開車上路，繞環潭公路一圈，沿路參觀公路旁景點諸如玄奘廟、孔雀園、慈恩塔、玄光寺。十一點多終於駛離環潭公路，開進一般省道。約一個鐘頭後再開上三號高速公路，一路駛返家，又過了約兩個多鐘頭，終於抵達家門，結束兩天一夜的朝聖之旅。

（『新文壇』季刊）

和闐玉石

　　書桌上，擺放了兩塊和闐玉石，其中一塊乳白色另一塊青褐色，形狀各異。平常我用它們來做紙鎮，有時也拿起來把玩一番，感受一下它們幼綿綿肌膚的冰涼滑潤。

　　看到了這兩塊和闐玉石，就讓我想起當初是如何購得它們的經過。

　　那年五月，我和妻參加旅行團前往中國大陸南疆旅遊。

　　旅行團從台北起飛，先抵達新疆首都烏魯木齊，然後一路往南進發，先後遊覽庫爾勒市、庫車、阿克蘇等地，然後沿著阿和公路穿越塔克拉馬干沙漠，抵達和闐市。和闐市有一條發源自昆崙山的玉龍克什河，河裡專產和闐玉石。導遊曾於抵達休息過後的隔天早上，帶我們到河裡去撿玉石。一行人在河裡撿了半個多小時，結果當然是零。因為這條河的這個地段，已不知被多少人一再撿拾過，甚至河床上還放置了挖掘的鐵鏟及被挖得大大小小的坑洞。撿不到玉石，我們乾脆和在河床上戲水的全裸維吾爾族小孩戲耍拍照留念，也算不虛此行。

　　在和闐市區的馬路邊及建築物走道上，我們也曾發現很多販賣玉石的小販，但因語言不通，以及可能受騙、時間等因素，未能前往購買，心中有些快快。

離開了和闐市，我們繼續往其他城市遊覽，先後抵達莎車、喀什再前往位於海拔近四千公尺的塔什庫爾干城市。在未抵達塔城時，我們先途經一處知名景點，即位於海拔三千六百多公尺的喀拉庫勒湖。我們的遊覽車停在湖邊，大家下車休息吃午餐。

吃完了午餐我們三三兩兩沿著湖邊步道散步，觀賞著冰冷清澈的湖水以及不遠處積滿白雪靄靄的塔格慕士峰。正觀賞漫步間，兩位牽著馬匹的當地塔吉克族小孩前來，央求我和另一位同伴騎馬。由於時間關係，我們原本沒有騎馬的意願，但兩個小孩一再的拜託央求，最後我終於不忍心，在問了價錢後上了其中一位的馬背。

小孩牽著馬在湖邊空地上胡亂繞了兩圈，繞行期間我和他交談。他說他家離此地約有一個小時左右馬程的村莊。家裡父母因病目前皆無工作，家中三個小孩他排行老大，不得不負起重擔牽著家中惟一的生財工具，每天來此賺錢養家糊口。我問他生意如何？他說由於競爭者眾，加以此地是高海拔地區，每天遊客量並不多，所以每天僅能掙上幾十元，最多也就百來元。我聽後頗覺有些不忍。談話不久小孩從口袋裡掏出兩顆石頭給我看，他說這兩塊是和闐玉石，希望我幫他購下，以讓他多賺一點錢貼補家用。我問他多少錢，他說

兩顆賣我人民幣一百元。我覺得貴了，於是和他講價連騎馬費（二十元）共一百元。小孩毫不考慮一口答應。不久馬騎好了，我付給小孩人民幣一百元，並收下兩顆石頭。

　　到底這兩塊石頭是不是和闐玉石，真正價錢幾何，我並不十分清楚，不過我也不想求證。因為當初買下它們主要是想幫助小孩，我也相信在那個高海拔人跡罕到的地方，塔吉克少數民族的小孩不會欺騙我，這就夠了。

（山西「鳳梅人」報）

作者騎馬於喀拉庫勒湖邊

那拉提草原的婚禮

那拉提草原的婚禮，在夕陽西下的黃昏中進行，頗富思古之幽情。

那拉提草原位於北疆準噶爾盆地西南邊緣的伊犁河谷上。草原廣大，流水淙淙，林木茂盛，水草豐美。此地據說是兩千多年前烏孫王國的立國之地。

我們的旅行團隊於下午二時抵達，先入住草原小木屋，然後由領隊帶領前往另一處空闊的大草原上騎馬，並觀賞草原上正在舉行的賽馬活動。下午五時乘車返回小木屋時，領隊告訴我們一個好消息，就在我們居住小木屋旁的另一處草原上，下午七時正開始，將舉行一場十分特別的婚禮，希望屆時大家準時前往觀賞。

下午七時正，大家準時集合前往，不一會兒抵達。此時但見草原的出口處，早已整齊的站立了十幾匹雄糾糾、氣昂昂的戰馬，馬上各騎著一位身穿古代戰袍的士兵。不一會兒，由草原中間最豪華的一頂氈包裡，走出一支隊伍，隊伍前面中間位置一位身穿紅袍的女子，相當醒目。導遊說這位女子就是扮演漢代的公主。這場婚禮是模仿兩千餘年前，漢代公主和親下嫁烏孫國王，還從長安（西安）一路風塵僕僕的舟車勞頓走了三年，終於抵達此地的盛事。

在夕陽餘暉中，婚禮隆重的舉行了。騎在一匹裝飾得特別華麗馬上的漢代公主，在使節、婢女、隨從及戰馬上士兵的護衛與帶領下，緩緩由大馬路沿著小徑進入草原中間的豪華氈包。現場的觀光客則緊跟在隊伍後面及兩側拍照，我亦是其中之一。

走著走著，突然隊伍中一位手執旗桿的掌旗手，將旗桿轉交到我手中，並吩咐我跟上。於是我就身不由己的突然由觀光客變身為迎親隊伍中的一員。兩手執著旗桿，緊緊跟隨著隊伍緩緩前進，約過了幾分鐘，終於來到氈包前廣場。

此時，廣場前早已站立另一支迎親隊伍，包括烏孫國王、大臣、祈福巫師、宮女等。兩支隊伍相遇，此時漢朝使節立即拿出竹製捲軸，開始大聲的宣讀著漢皇帝的聖旨。宣讀畢，但見烏孫國王手舞足蹈作大樂狀。緊接著巫師開始唸起咒語，手中不停的揮舞著柳條枝為婚禮及大眾祈福。打扮嬌艷美麗的眾宮女，亦隨著音樂於廣場上翩翩跳起了迎親舞。整個婚禮歷時近一個小時結束。

北疆之旅，意外的於那拉提草原，參與並見證了一場兩千多年前的婚禮，令人難忘。

（山西「鳳梅人」報）

我又做了一回新郎

　　前往大陸青海省首都西寧市旅遊，遊覽車載我們到郊區的一處「土族風情園」遊玩，一下車馬上接受到熱情的接待，幾位土族青年男女排列在門口，大聲唱歌歡迎我們。當我們入門時，每人還要喝掉他們手裡捧著的青稞酒，以示隆重。

　　入了門吃了午飯，在飯廳外面的圓形廣場，娛樂歌舞節目開始了。十幾位土族青年男女紛紛載歌載舞，並表演精彩的盪秋千。最後節目進入尾聲，主持人宣佈要舉行一場結婚大典，徵求現場三位觀眾當新郎倌。我首先被點名出去，其餘兩位團員接著也被點名進場。

　　我們三人接受換裝，全身土族新郎服裝打扮，頭戴高帽進場，接受歡呼。緊接著主持人問了每個人一個相同問題：「等一下新娘出場，你要對她說什麼話？」

　　「我愛妳！」

　　「我會給妳一輩子的幸福！」

　　兩位團員先後回答，主持人走到旁邊最後問我。

　　「跟我回台灣吧！」我想了一下，脫口而出。

　　不一會兒，新娘服裝整齊頭披紅紗巾進場，分別站在我們三位身後。於是由主持人發號施令：「一拜天地，二拜高堂，夫妻對拜……」整個婚禮終於完成。新娘每人手中拿出一雙

上面繡有「花好月圓」四個大字的鞋墊送給新郎。新郎當然也要回禮，包個小紅包回贈新娘。

　　就這樣，我在結婚將近四十年後，又做了一回新郎。由於我是第一個被叫出場，大家稱呼我為大姐夫。事後團員紛紛向三位姐夫要喜糖吃，大家笑成一團，也為旅行中憑添不少樂趣。

（『郵人天地』月刊）

四十年後的作者又做了一回新郎倌

路易斯湖畔的驚喜

　　前往加拿大西部洛磯山脈旅遊，那天傍晚我們抵達四大名湖之一的路易斯湖。果然，名不虛傳，湖光山色，猶如人間仙境，大家三三兩兩結伴漫步於環湖道路上。

　　走著走著，突然從環湖道路邊的石縫中竄出一隻小松鼠，牠兩眼滴溜溜地望著我。摸了摸口袋，恰好有一片吃剩的麵包，於是拿出來，撕了一片丟過去，牠迅速地跑過來，叼了餅乾返回縫中大啖，不久就吃完了。我蹲下來，又撕了

一片，此次我不把它丟在地上，而是拿在手中誘引著牠。果然，牠毫不猶豫地走到我的手邊，用口咬著麵包，並一邊用前腳推了推我握著餅乾的手指。為了不忍心太過為難牠，於是我鬆了手，讓牠咬著麵包返回石縫邊大啖。

　　正當我忙於餵食松鼠時，四隻淺灰身子黑色翅膀的大鳥，紛紛從樹枝上飛了下來，停在離我不到一步之遙的大石上，目光都對準我手中的麵包。於是我又撕了一片，用右手雙指夾著伸前，想不到牠們居然紛紛伸出尖長的黑喙前來啄食。我從口袋悄悄拿出相機，給牠們拍攝，牠們也毫不害怕，反而是弄得我自己有些心虛，真是「以小人之心度黑鳥之腹」。

　　加拿大地廣人稀，他們國家對野生動物之保護十分周密，人民也養成和動物和平相處的習慣，難怪這些松鼠、大鳥都不畏人。

　　在路易斯湖畔餵食動物，令我既驚喜且深有所思。

（『聯合報』繽紛版）

上海地鐵初體驗

　　上海地鐵，四通八達，從一九九五年首條線路開始營運以來，短短不到二十年時間，如今已達十六條之多。其路線密密麻麻，幾乎已遍布大上海的每一個角落。對上海人以及全世界前往旅遊者來說，可謂交通無比便捷！

　　以往，筆者也曾多次前往上海旅遊，但因跟團始終無緣搭乘地鐵，頗覺遺憾。今夏內人一位好友，因要前往上海處理個人事務，邀筆者夫婦等共五人同行，才得遂心願。在上海期間，每日搭乘地鐵四處「趴趴走」，終於對上海地鐵有了「初體驗」。

　　由於筆者家居新北市，經常搭乘台北捷運，對北捷十分熟悉。搭乘上海地鐵後，不免把兩者搭乘經驗做個比較，感覺兩者大同中也有不少小異之處，頗覺新鮮有趣，以下試列舉說明之。

　　一、用語稱謂的不同：台灣叫捷運，大陸叫地鐵。台灣叫捷運卡，大陸叫交通卡或公交卡。若你在上海街頭向人詢問：「請問最近的捷運站在哪裡？」可能被問路者會一頭霧水。若你至地鐵站售票處向服務人員說：「買一張捷運卡。」對方可能會不理你。

　　筆者前往上海次日早上，即至地鐵站服務處以人民幣一

百元購買了一張「公交卡」，用了幾日，返台前夕持卡至某站服務處欲退票，卻被告知應至某些大站售票處才有此業務。不得已又搭地鐵至某站售票處欲退票，服務小姐說：「由於票面金額超過十元，若退票要扣百分之五。」令筆者頗覺不便與有些不合理（台北捷運無此情形）。

　　二、**軌道條數的不同**：台北捷運共有紅、藍、黃、褐、綠五條路線，交通尚稱便捷。上海地鐵則有紅、藍、黃、綠等十六條路線，幾乎密密麻麻貫穿了上海市區，將原本由黃浦江分隔成的浦東與浦西又緊密連在了一起。不僅如此，其在地鐵二號線的龍陽站至浦東機場間的三十多公里，又興建了一條磁浮列車線，時速可達三百多公里，兩地來回一趟僅需七分多鐘，令人嘆為觀止。

　　三、**搭乘規定之不同**：搭乘台北捷運，不能在月台或車上吃東西，否則要受罰。搭乘上海地鐵時，筆者見有人在車上喝飲料，頗感訝異！出站時順便問了一位工作人員，她說：「我們這邊尚無此規定，有一陣子傳出風聲說要實施，但後來又不了了之，可能是怕引起民眾反彈吧！」

　　四、**進站安檢有別**：台北捷運進站不用安檢。上海地鐵則進站都需先經過一個安檢關卡。關卡有人把守，若安檢人員發現你的包包可疑，則會請你卸下包包過一下旁邊的 X 光機。雖然每個地鐵站設置安檢人員，會多出不少成本，但也達到一定嚇阻作用。據說上海地鐵當初設置安檢，是為應付世博會舉辦期間的恐怖份子。世博會結束也就讓它繼續沿用。

　　五、**搭乘電扶梯之不同**：搭乘台北捷運內之電扶梯，乘客會自動靠右，讓出左邊通過道讓有急事者先行。搭乘上海

地鐵，則乘客無此習慣，大家亂七八糟將電梯站滿，誰也別想先走一步。我不知道台北捷運的「自動靠右」當初是如何宣導？但人是群體與習性的動物，只要少數人率先為之，再加上不斷宣導，久而久之大家就習以為常。期待早日看到上海地鐵的乘客，也都能「自動靠右」。

六、站內取用資料之比較：在台北捷運的每個站內的固定地方，都放置有中、英、日三種版本精美「旅遊導覽圖」，供乘客戶任意取用參考，很少有「空空如也」的情況。搭乘上海地鐵首日，筆者搭二號線至南京東路站，下車後欲出口前向站內工作人員詢問：「在哪裡可拿到資料？」工作人員指了指某處，筆者走近一瞧，置物箱內空空如也。再返回向該位工作人員反映，他又指了指不遠處售票窗口，我走近售票窗口，向其中一位表明來意，隔了一會兒，他終於拿出一張小小的路線圖給我。由於紙張字體太小，看得十分吃力，我只能苦笑。幸好出站後，有旅行業者派人在發傳單，傳單反面皆印有彩色的地鐵路線圖，才解決困擾。

七、禮讓老幼婦孺座之不同：台北捷運叫「博愛座」，上海地鐵叫「愛心座」。台北捷運的博愛座座位顏色和一般座位

不同，且其上貼有大片壓克力字樣，較為醒目；上海地鐵則座位顏色相同，上面也僅用一張長方形貼紙貼上「愛心座」三字，較不醒目。至於禮讓情形，似乎台灣年輕人也較好些。

八、出站關卡攔物的不同：台北捷運的出站關卡攔物是左右兩片擋板，捷運卡一刷，立即自動內縮讓道；上海地鐵則是一根白色鋁條擋道，刷卡後不讓道，要用人體推移力量通過。筆者搭乘期間，經常見有人從鋁棒下鑽過，不知他們是搞不清楚動作太慢還是逃票。有些年長者還一邊鑽一邊罵。

上海地鐵初體驗，當然筆者此次前往僅有幾日，所見所感仍然有限，希望往後還有機會再前往上海自由行，多體驗上海地鐵的方便與迅捷。

（山東『棗莊職教』雜誌）

黃浦江畔看對岸東方明珠塔燈塔火輝煌

卡蹓趣馬祖

馬祖列島包括四鄉五島及數十個無人小島，呈一條錯落的直線，散佈於福建省的閩江口，夙有海上珍珠項鍊之美譽。島上雖然物資缺乏，生活條件較為不便，但風景秀麗，近些年來早已與金門同樣成為外島觀光旅遊的首選。

三十多年前筆者於郵局工作時，曾被調派至馬祖的一個離島服務一年。當時由於公務在身且是戒嚴實施戰地任務時期，故雖在馬祖一年但很多景點其實都沒到過，甚感遺憾。為彌補遺憾也同時做懷舊之旅，遂於日前報名參加一個三天兩夜的「海上桃花源 —— 馬祖南、北竿，東莒（生態）尊爵之旅」，三天兩夜期間，飽覽馬祖列島風光。以下試略訴感懷一二！

立榮航空，快速抵達

早上搭乘松山機場十點二十分起飛的飛機，約五十分鐘，十一點許即抵達南竿機場，可謂快速便捷。憶昔當年在馬祖服務期間，到任、退役及幾次休假來回，僅能搭船在海上漂浮一整個晚上，有時碰到海上強風巨浪，嘔吐全身虛弱癱軟，真不可同日而語。

南竿參訪，跑遍全島

　　南竿是馬祖列島中最重要的一個島，縣府之所在。在南竿島我們參訪了島上知名的十餘處景點，其中印象較深值得一述者有三：

　　一、參觀 240 礮陣地與雲台山軍情館。前者位於山坳隱蔽處，擁有全國最大口徑，直徑有 24 公分，一次要 12 名弟兄操作才能發射的巨礮。由於已近二十年沒有發過砲，如今礮陣周圍相思樹已群群遮蔭；後者則是在島上最高處雲台山頂的一棟建築，是戰時觀測、搜集敵情的最佳據點。兩者從以往的神秘到如今的透明，令人慨嘆時代之變遷。惟兩處仍要憑中華民國國民身分證進入，大陸客想必尚無福踏入。

作者與家人攝於媽祖神像前

　　二、媽祖巨神像巍巍轟立山頂。從計劃到完成，歷時十年的媽祖神像園區，2009 年終於完工開放參觀。園區內最引

人注目的，當然首推媽祖巨神像。此尊巨神像以整塊花崗岩雕刻完成，然後切割成 365 塊從彼岸運來組裝。神像含頂上避雷針高 29.6 公尺，恰是馬祖四鄉五島的總面積。神像以15 度的傾斜，面對大海，右手掌燈，左手托芴，面容莊嚴慈祥。祂的前方則以長條木板組裝成船的造型，從遠處看恰似媽祖站立於船中間，保佑著海上及島上芸芸眾生。導遊說，馬祖以往是指揮官最大，如今則是媽祖最大，上從縣長下到一般平民，誰都要聽祂的，確實！

三、福山照壁上的「枕戈待旦」。只要您搭船去馬祖，尚未抵福澳港，遠遠的在海面上就可以看到這四個約三、四人高的紅色大字「枕戈待旦」。此四字矗立於福澳村西南方山頂的福山公園的山頭，是當年蔣公親手所題，與金門的「勿忘在莒」四字齊名。而其實這四個大字的牌匾是豎立在一座地上五層地下一層的巨大建築物之上。這棟建築物目前正在積極趕工整修，導遊說今年十一月開放陸客來馬祖旅遊後，此地將成為大型購物中心，大賺陸客人民幣。我想當陸客購完物後，站於此四個大字之前合影，真令人有時光錯亂之感覺，歷史對人類有時是夠諷刺的！

南竿除了以上幾個景點外，我們還參觀了為總統等高官來馬視察、休息所闢鑿的「勝利山莊」豪華坑道，為儲備戰地物資開挖的「八八坑道」（現已成為釀酒場），讓運補船躲避礮擊順利達成任務的「北海坑道」。這些景點讓我們見識到當年國軍官兵們，是如何胼手胝足，開山築路挖洞，為確保前線及大後方安全，所做出的努力與犧牲奉獻精神！

東莒燈塔，大埔石刻

作者攝於東莒燈塔前

　　參觀完了南竿鄉，我們搭上「馬祖之星」號船前往莒光鄉的東莒島，船程約不到一小時即抵達。

　　東莒島最著名的觀光景點是東莒燈塔與大埔石刻。前者是一座歷時已有百年以上的白色花崗岩燈塔，曾經為無數海上船隻指引方向，如今已退休但仍「退而不休」的屹立於山頂，像一尊白色的巨人。屬於二級古蹟。後者則是一塊明朝萬曆年間的石碑，碑上刻有當年戚繼光麾下的沈有容將軍在此生擒倭寇六十九名，不傷一兵一卒的事跡。此碑已列三級古蹟，建有懷古亭公園保護。

　　晚上宿於島上大坪村的一家旅館，由於島上人口少，遊客也不多，老闆除了掌櫃外還兼早餐主廚及端碗小弟等任務，自謂校長兼撞鐘。滿頭白髮的老闆看起來精神奕奕，熱忱的為大家服務，讓人充分感受到離島鄉親的純樸與可愛。馬祖鄉親除了熱情純樸可愛外，也相當敬業守法。導遊說此地治安一向良好，甚少發生犯罪事件。他說：「我們開車離開後經常懶得拔鑰匙，沒有人會動你的車……」

　　晚上八點半，導遊帶我們到福正村海邊沙灘去「踩星沙」，我的理解是此處的沙灘非常潔淨，沙子像星星一樣潔白閃閃發亮。但為何不在白天前往而在漆黑的夜晚？及至到了目的地才了解，原來所謂的「星沙」其實是一種叫渦鞭毛藻的海中生物，此生物浮游在海中，遇到海浪衝襲後會發出類似螢火蟲的亮光，故又有「海中螢火蟲」之稱。只見它們成群結隊在海中不斷閃爍著光芒，確實見所未見令人驚喜不已！

北竿芹壁，壁山觀景

　　北竿鄉最有名的景點當屬芹壁村的依山而建的閩東式石頭屋建築，經過政府補助經費整建完成的石頭屋，每棟都十分堅固、雅觀，頗富特色。走在村中石板鋪成的道路上，還可看見牆上特意保留「殺朱拔毛」、「擁護領袖」的當年反共標語，令人莞爾並沉思。而坐在半山腰路旁遮蔭涼椅上，一邊喝咖啡，一邊聊是非，並觀賞海面上一隻龐然的小島嶼烏龜，據說頗有地中海風情！

　　所謂的「壁山觀景」是站立於北竿最高處的壁山觀景台上眺望遠處，海面上十數個大小無人島盡收眼底，甚至連對岸的陸地也隱約可見，視野非常廣闊。這十多個無人島，據說皆已成為鷗鳥保護區，島上每逢春、夏之間經常盤踞著成千上萬的鷗鳥來此度冬，繁衍後代。可惜我們此次行程沒有安排賞鳥項目，留一點遺憾，明年此時再來馬祖自由行吧！

　　在北竿期間，我們尚參觀了「大坵山戰爭和平紀念館」、「橋仔漁村漁業展示館」，這兩個館搜羅豐富，仔細參觀後對馬祖群島的生態、習俗與歷史戰略價值等，有更進一步的了解！

結　尾

　　馬祖群島，一串散落在福建閩江口的珍珠。以往是反共抗俄的最前線，如今已成美麗的海上桃花源。不論您曾去過或未曾去過，都歡迎您再次前往旅遊，卡蹓卡蹓（閩東語「玩」之意）。

　　　　　　　　　　　　　　（山西『九州詩文』雜誌）

酒鄉之旅

　　2012 年上半年某日，突接重慶西南大學新詩研究所前所長呂進寄來一封 mail，囑咐我 12 月初前往該校參加「第四屆華文詩學名家國際論壇」會議時，提前兩日到達，他要帶我到一家酒廠參觀，參觀完後寫些感想，酒廠將致贈豐厚稿酬。「海外僅邀請三位，你是台灣惟一代表」，呂所長在 mail 上說。對於呂所長的邀約，我當然至感榮幸，立即答覆一定按時前往。

　　12 月 5 日下午 7 時許，我搭乘直航飛機由桃園直飛重慶江北機場。晚上 10 點半準時抵達，11 時領到行李出關，有兩位西南大學新詩所研究生在關口等候，兩人帶我搭車前往該校，抵達時已是次日凌晨，住進旅館，稍為休息，立即就寢。

　　6 日上午 8 點半，在旅館大廳集合，酒廠派的中巴車已抵達，大家依序上車。此時大家才相互認識問候。同行的除呂進所長與我外，海外尚有南韓及日本的兩位教授，泰國的一位前輩詩人，以及中國國內四位歷屆魯迅文學獎得主的重要詩人。

　　車子剛啟動不久，接待人員即遞給我們每人一個保溫鋼杯，杯內已泡好茶水，供我們一路解渴。車子在重慶市區行駛了約半個多小時，上了高速公路一路前進，又駛了將近兩個多小時才駛出大重慶市區，抵達貴州省境內。

作者與呂進所長及大陸與海外名家合影於望郎台

　　中午十二時許，我們抵達貴州省的一個古鎮 ── 夜郎鎮。此鎮也是成語「夜郎自大」的出處，在歷史上十分有名。大家紛紛下車走走、拍照。車續前行，下午一點多來到一家「愛國飯店」，大家下車吃火鍋午餐。

　　吃完了午餐續往前行，車子在群山環繞的公路上奔馳，直到下午近五時才抵達貴州省與四川省交界的習水鎮望郎台，接待人員請我們下車登台遠眺。由望郎台上俯看，隔著一條彎彎曲曲的赤水河，對岸河谷丘陵斜坡上一大片的建築物，就是我們此行的目的地二郎鎮郎酒集團總部的所在。從早上八點五十分出發，到現在總共花了近八個鐘頭的時間，走了約三百公里的路，好不容易才抵達目的地，大家都十分的興奮。

　　下了望郎台，續上車前行，不久穿過一條橫跨赤水河的水泥橋，我們抵達四川省古藺縣的二郎鎮。剛過橋幾分鐘，

作者與諸詩學名家合影於天寶洞

車子又停下來，接待人員請我們踩踏石階往上參觀一條老街
—— 紅軍街。此街沿著斜坡興建，坡道皆鋪上青石板，路兩
旁的木造房屋都已十分老舊，有些甚至傾斜欲倒。據說這條
街上，當年三〇年代一段時期曾住滿紅軍，至今老舊的木屋
上仍掛著當年的牌子，見證這一段滄桑的歷史往事。老街全
長約八百公尺，我們花了十來分鐘走完，隨即上車前往不遠
的郎酒集團總部。

　　郎酒集團總部位於鎮內鬧區街上，當我們的車抵達，總
經理劉毅率多位高級幹部在廣場列隊歡迎我們，逐一握手，
並由幾位年輕漂亮的女員工向我們獻花。而廣場牆壁上全長
約百來公尺的 LED 燈管上，則不斷以跑馬燈的方式打上我們
每位來賓的名字，表示歡迎之意。

　　當晚晚餐則更是一場高規格的盛宴，郎酒集團總經理以

下十多位高級幹部全部出席，大家一面吃著豐盛的菜餚，一面品著五十年的醬香郎酒。席間有快手之稱的中國團員黃亞洲當場朗誦三首他此行為郎酒所寫的詩，另一位中國詩人張新泉高唱一曲民謠，韓國及日本的教授也分別以韓文及日文唱了一首他們國家的老歌，我則拿出一個購自故鄉鶯歌陶瓷老街的「聚寶甕」，以及兩本新書贈送給劉總經理代表接受。席間大家不斷相互敬酒，說笑之間感情逐漸拉近。最後，四位年輕美麗的「郎」女員工，一面唱著敬酒歌，一面向大家敬酒，宴會在極端歡樂中結束。

　　次日早上 9 點，我們搭車前往「天寶洞」參觀。天寶洞是一個位於懸崖峭壁間的天然溶洞，洞內極深。此洞形成於億萬年前，由於山上樹木野草掩蓋，無路通往，此洞一直以來就是群鳥野獸的棲息地。直到上世紀 60 年代末才被一位郎酒員工因上山採藥草偶然發現，他向廠方提出開發此洞用於貯酒的建議，最終獲得採納。70 年代初經過探勘開路後開始啟用。於天寶洞下方，同時又被發現一個溶洞取名「地寶洞」。兩洞洞後方有一孔相通，總面積達一萬四千兩百多平方米，兩洞內貯藏的百斤至千斤大小不一的土陶罈上萬個，儲酒量驚人，真是上天贈送給郎酒集團的最佳禮物。

　　上午九點半我們的車開抵一個書有「天寶洞」三字的牌坊底下，大家下車拍照，隨即又走幾分鐘小路來到天寶洞洞口。

　　在高級品酒師也是年輕副總沈毅的帶領下，我們進入洞內參觀。洞內修得十分平整，每隔一段距離即有燈光，故視線還不錯。洞內除中間是走道外，兩旁皆放置一個個大酒罈，酒罈排列整齊，由於隊伍十分綿長，氣勢壯觀，故有人給它

們取名「酒罈兵馬俑」，還頗為傳神。我們一行人約花了十分
鐘從洞口一直走到洞尾兩洞上下相通處，用手感受一下天寶
地寶兩洞的空氣如何對流。據說天寶地寶兩洞原是不相通
的，但貯酒三年後，天寶洞洞尾一小塊地方突然塌陷，土壤
掉落到下面的地寶洞，天地寶洞形成一個比酒罈還大的垂直
通道，垂直距離 44.6 米。這真是太神奇了。由於天地寶洞相
通，空氣對流，有利於酒菌交流、繁衍，恆溫恆濕的環境，
更適合於貯酒。郎酒這些年來，在中國市場的屢創佳績，2011
年的市場銷售額已達百億人民幣，我想天地兩個寶洞的貢獻
確實是功不可沒的。

　　參觀完了天地寶洞相通處，我們又往回走到距離洞口不
遠處。此時郎酒員工已打開一罈儲存三十年的老酒，從裡面
舀一些上來供我們品嚐。由於十分珍貴，平常幾乎滴酒不沾
的我也忍不住品嚐了一小杯，感覺十分溫潤，齒頰留香。

　　品嚐完了天寶洞窖藏數十年的醬香陳酒，我們即出洞沿
原路返回郎酒集團總部。中午十二點我們準時吃了午餐，下
午一點左右我們立即上車開回重慶，晚上八點多我們終於返抵
西南大學，結束兩天一夜漫長但十分刺激有挑戰性的旅程！

　　當然最後還要感謝郎酒集團每人送我們兩瓶酒，這兩瓶
酒我千里迢迢帶回台灣，將永久保存留念。每次見到一青一
紅的它們兩位帥哥靚妹，就讓我想起那一段艱辛奇異的「酒
鄉之旅」，感謝此行盛情接待我們的每一位郎酒集團員工。

　　英姿煥發中國郎！神采飛揚中國郎！加油啊阿郎！

（『葡萄園』詩刊）

輯二　　鄉景鄉情

秦裕芳國畫作品

故鄉小鎮

　　故鄉小鎮位於新北市西部邊陲，是一個人口僅有數萬人的小鎮。不知不覺間，在小鎮生活已超過一甲子了。小鎮是我出生的地方，也將是我終老的地方，可以說小鎮是我永恆的故鄉。可是幾十年來，我卻甚少認真的用感情去注視它，提筆為它寫些歌頌的詩歌或介紹的文章，更是了了可數，甚感汗顏。

　　小鎮的取名是由一顆石頭而來，這顆石頭位於小鎮東北面的一座山的半山腰，石頭相當巨大，從山腳下遠遠望去，即可看見。由於此山位於鐵道旁不遠，只要從台北搭火車南下，在即將抵達小鎮火車站前一兩分鐘往右邊的車窗望去，即可見到此龐然大物的英姿。惟近幾年來，建商在此巨石的山腳下，紛紛蓋起十數層樓高的建築物，擋住了大部份視線，要從遠處看到巨石已十

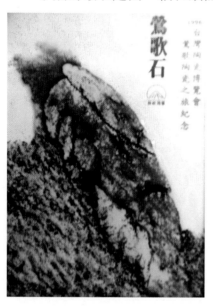

分困難，令人遺憾。

　　有關此巨石的傳說相當精彩，相傳它曾是一隻巨鳥，躲在山中，每逢天氣變化，即會飛出吐霧傷人，危害鄉里。明末國姓爺鄭成功渡海來台，某次率軍路過此地，巨鳥又跑出來作怪，欲吞噬士兵。國姓爺一怒之下，張弓射箭，一箭中的，巨鳥頭掉入不遠的大漢溪河床裡，身體則墜落這座山的半山腰，化為石頭。小時候聽長輩講述這個故事，深信不疑。及至長大後知道這個故事的虛妄性，但也不忍戳破。甚至有外地朋友來訪，我帶他們前往參觀，也不免要加油添醋為他們講述一番。似乎不如此，就不足以顯示故鄉這顆石頭的重要與神奇。

　　小時候，由於上山的道路十分簡陋，要爬上山抵達巨石旁十分不易。目前公所已闢好上山道路，只要從山腳下沿著指示標示前進，爬上大約兩三百個石階，即可抵達一窺廬山真面目。在巨石旁邊，公所還特意蓋了一座涼亭，以供遊客喘息、休憩。

　　小鎮尚有一處較知名的風景點，即是一座蓋於半山腰的宮廟。此宮廟較特殊的是它祭拜的主神非媽祖、非關聖帝君、非釋迦牟尼佛、非觀音大士或諸天羅漢、神佛，而是一顆重約數噸的石頭。相傳日據時期，人民生活窮困，有些鄉民避難到此山中墾植，偶然間挖到這顆石頭，想搬動它以利農耕，想不到使盡力氣卻怎麼也搬不動。鄉民感覺有異，遂雙手合十禱告祈求。想不到心想事成，頗為靈感。於是一傳十，十傳百，大家相率而來，並集眾人力量在石頭上方蓋起一間小廟以供奉之。由於此石形狀略似一隻烏龜，故尊稱它為龜公。

　　記得我就讀小學三年級時，某次學校遠足的地點就是由學校走到龜公廟。那時的龜公廟十分簡陋，龜公石甚至只以鐵柵欄圍起一個圓圈，置於廟後方的山坡上露天供人觀賞。想不到近幾十年來，拜台灣工商起飛，小鎮很多做生意者都發大財之賜，龜公廟一再大肆翻修。如今已是一座盤踞整個山頭的龐然大物。不但正殿修得古樸典雅、宏偉壯觀。甚至廟邊還建有禪房大樓供人休息、住宿。而龜公石更早已躲入大廟正殿後方山坡上的一座美輪美奐的雙層寶塔內，想要一覩它的廬山真面目還真難呢！

　　站在大廟的最高處，雙層寶塔第二層放眼四望，可以看到大漢溪水蜿蜒流過。而橫跨兩個鄉鎮間的一座大橋以及一條由北向南連綿橫亙的高速公路，公路上車水馬龍的景象歷歷在目，令人遠眺觀賞之餘，心曠神怡。由此廟作為起點，也有數條登山小徑，可供喜愛登山的遊客健行登高望遠。其中一條就可抵達前述矗立於半山腰的巨石。每逢星期假日，這些登山小徑遊客總是絡繹不絕於途。

　　除了這兩處位於半山腰的風景點外，在小鎮市區旁也有一條老街，十分有名。記憶中小時候這條老街不但道路狹窄、崎嶇不平，道路兩旁

一些販賣東西的商家也是破破舊舊，甚至有些房子無人居住任其荒廢、倒塌。八〇年代後期，經某縣長大力支持整頓，老街遂起死回生。如今不但老街街面寬闊整潔，每家店面也修得美輪美奐，店裡販售的一些小鎮工廠生產的產品，諸如各式陶瓷碗碟、瓶盆罐甕等，更是精美絕倫，高貴不貴。每逢星期假日、年節連假，總是吸引滿滿的中外遊客前來旅遊、欣賞、選購。甚至總統出國訪問，贈送外賓的指定伴手禮，也是來小鎮挑選。這些都為小鎮觀光與經濟的發展，注入無比的活力。

小鎮除了上述三大觀光景點外，尚在跨鄉鎮大橋旁不遠的馬路空地上，蓋起一座造型十分宏偉、亮敞的博物館，館內除常態性的展示一些小鎮早期生產的陶瓷等產品與製作工具等外，也經常舉辦各種展覽，甚至邀請各個國家也提供相關產品參展，使得可看性大大提高，成為喜好陶瓷藝術者的天堂。而更難能可貴的是，此座博物館並不收門票哩！

小鎮一向有台灣景德鎮的美稱。早年鎮內人口據統計約有百分之七十幾都從事陶瓷業或周邊產品的工作。筆者家中雖一向以務農為生，但在七、八〇年代那個陶瓷業出口暢旺的年代，家中大大小小無不利用農忙空檔，幫忙做些陶瓷加工等工作，以賺取外快，補貼家用。

年輕時有一段時間，我曾離開小鎮居住到外地，包括求學四年，服役兩年及退伍後前兩年在外地工作並娶妻生子。那些年雖遠離小鎮，但對小鎮的思念不減。每次利用休假日匆匆返回，總是在小時候曾經嬉戲、放牛、讀書等地方，沉思、盤桓良久。最後我決定舉家搬回故鄉小鎮居住，再也不

離開它了。

在小鎮居住了幾十年，小鎮的一花一草一木都是我熟悉的。故鄉的鄰居、親友，一個個都那麼純樸善良可愛。走在小鎮的街頭，看著一棟棟高樓大廈如雨後春筍般紛紛不斷冒起，小鎮變了，變得繁華熱鬧不復當年那麼純樸與可親了。不過小鎮仍然是充滿活力與希望的。

我愛小鎮，我愛我的故鄉。生是故鄉的人，死也要葬在故鄉，永遠與它在一起。

（『新文壇』季刊）

易梅貞國畫作品

童年舊憶

童年是一首唱不完的歌，悠悠揚揚，令人懷念啊懷念。

童年是一條曾走過的路，深深淺淺，令人回味啊回味。

小時候，我是一位放牛仔。

務農的阿爸，擁有七分田地，同時養了一頭黃牛。

自我懂事開始，就與黃牛為伴。五六歲時，我已成為一位標準的放牛仔。

每天午後牽著牛到家附近的草地上吃草，成了我的責任。

放牛的歲月，有歡樂也有哀愁。歡樂的是我們總會苦中作樂，幾位放牛仔若集合在一起，大家嘻嘻哈哈在草地上玩著捉迷藏等各種遊戲，時間在玩耍中很快就過去了。累了肚中饑腸轆轆怎麼辦？此時我們也自有辦法，或者大家分工合作，來個烤蕃薯大餐；或者到山上採些野果；或者到別人種的果園裡偷摘些蕃石榴來填飽肚子。總之，我們就是有辦法在那個缺衣少食的年代，讓自己活得快活無憂。此時的童年確像是一首歌。

哀愁的是，我們總是玩得太瘋，有時牛隻越過草地，到田中大肆吃起秧苗或蕃薯藤，總是要待田主人發現大聲咒罵，我們才知「代誌大條」，回家總不免挨一頓臭罵或者「竹仔炒肉絲」。但不到幾天工夫，我們就將這些不愉快的事忘得

一乾二淨。

放牛的歲月伴隨著小學的時光。

上學了，不用再每天放牛，讓人好高興。在學校有那麼多的同學，大家嘻嘻哈哈在一起讀書、玩耍，日子過得快活無比。但總也有些記憶深深的歡樂與哀愁。那年每天早上出門上學，總是為了向阿母討點零用錢而弄得心情很鬱卒，偶而阿母心情好轉給個一毛錢，就讓我高興了好半天；那年過年，阿爸為犒賞我的成績，特別去街上買了一雙「踢球鞋」給我，害我興奮得抱著它睡了好幾天；那年小學二年級學校分班，老師安排我坐在一位漂亮女生旁，一學期下來，我竟對她產生了好感，害著單相思；那年在操場上玩「騎馬打仗」遊戲，卻不小心從「馬背」上摔下，鮮血直流緊急送醫，嚇得務農的父母親，急急趕到醫院……

童年的時光，在放牛的日子，在抓筍龜的日子，在看漫畫的日子，在玩陀螺、打彈珠、玩橡皮筋、玩紙牌等等日子中快速的飛馳過。

童年的時光，到小學五六年級時就不太好玩了。每天滿塞的功課，一次又一次的大小考試，老師手中的竹鞭不停揮舞。為了學校的榮譽，為了自己的前程，我們提早結束無憂

童年的歲月。直到那年終於畢業了，我們參加聯考，正式成為中學生的一員。

　　童年是一首唱不完的歌，悠悠揚揚，令人懷念啊懷念。

　　童年是一條曾走過的路，深深淺淺，令人回味啊回味。

　　　　　　（入選湖南長江文藝出版社『2015 年
　　　　　　台灣年度散文精選』）

易梅貞國畫作品

蕃薯葉的回憶

　　家居頂樓的園圃上，無意中遺漏了一條小蕃薯，想不到一段時間，竟然長出了一大片茂密的枝葉。嫌其佔住了園圃太多的面積，遂動手將它拔除。擇其一部分較嫩的葉子，洗淨之後拿給內人烹煮，想不到竟然十分可口。且據說蕃薯葉富含多種養分，多食有益身體健康。但在這之前，我雖略知一二，卻一直拒絕吃它，當然這和我童年的成長背景有極大的關係。

　　小時候家中務農，父親所耕種的七、八分田地，每年除播種水稻外，也會適時留下約半分多的田地種植蕃薯，以供家人與諸多牲畜食用。種植蕃薯的田地，要先讓牛犁過鬆土，再以人力的鋤頭將之培成一條條高高長長的土條。培好後將事先預備好的蕃薯藤苗採適當距離半埋進土條的最上層，然後澆水、施肥。大約過了三、四個星期，植上的藤苗已長出長長的枝葉。為避免它們四處亂竄，流失營養，此時還要動手將每一株藤蔓牽到土條上方（即所謂的「牽藤」），再予以培土、施肥。如此約再經過兩個多月後（期間還要多次施肥），蕃薯園就可以收成了。此時出動家中大小人手，一起到園中分工合作。有的負責割蕃薯藤，有的負責以鋤頭將埋在土中的蕃薯翻出，有的則負責將翻出來的蕃薯分出大小，置於籮

筐，扛回家中收藏。若風調雨順年冬好，半分多的田地可收成上百斤的蕃薯，足夠一家大小加上牲畜食用好幾個月。至於割除的蕃薯藤與蕃薯葉也沒有浪費，蕃薯藤可供牛吃食一段時間，葉子則斬碎加入飼料供雞鴨食用，也可煮熟供豬隻食用。可以說不浪費一分一毫。

　　民國四、五〇年代，當時社會經濟普遍艱難。我家因子女眾多，食指浩繁，更是艱辛。記得我小時候最常吃的零食就是蕃薯。蕃薯可以生吃，但要選擇品種好的，吃起來既有甜味且可解渴解饞，就像吃水果一樣；蕃薯也可以熟食，小時候至今最難忘的記憶，就是經常在下午三、四點鐘，玩耍累了肚子咕嚕嚕叫時，就會不自覺的摸到廚房大灶邊，看看阿母是否有煮豬食，所謂的豬食就是煮一大鼎斬碎的蕃薯葉、空心菜葉等，內會摻雜一些小蕃薯。我會選擇小蕃薯中較大的，當場就在灶邊填飽肚子。當然阿母也經常在電鍋煮飯時，順手放進一塊塊削好的蕃薯塊，或將蕃薯以削板削成細細長條形狀，一起放入米中煮成蕃薯粥。這些雖然好吃，但天天吃餐餐有，吃到後來看到蕃薯就怕。至於蕃薯葉，小時候也和空心菜一樣經常佔據飯桌一角，吃到後來都不想動筷子夾它們了。

　　想不到十年河東十年河西，如今人們經濟條件普遍富足，平常雞鴨魚肉吃太多，反而流行起吃蕃薯葉來了。平常小吃攤叫一盤蕃薯葉要幾十元，大飯店餐廳價碼當然更貴。這真是我小時候那個貧困的年代難以想像的。

（入選湖南長江文藝出版社『2015 年
台灣年度散文精選』）

清明有感

　　又是一年一度的清明節，昨日下了一場雨，幸喜今晨天放晴了。早上八點多，全家族成員紛紛準備各種掃墓用品，開車向墓園出發。

　　墓園離家不遠，約十來分鐘車程。下了車，大家拎著東西沿小路往墓地前進，約幾分鐘時間即抵達。大家開始分工合作，有人打掃墓前祭拜的小小廣場，有人忙著拔除墓地周圍的雜草，有人拿出帶來的冥紙，用小石子壓在墓頂四周。一會兒工夫即已全部處理完畢。於是嫂嫂拿出香來點燃，每人三炷，在小小墓地廣場，向土地公祭拜，再向祖宗祭拜。

　　趁著祭拜後等著燃香的空檔，全家族成員約二十餘人大家紛紛相互問候開聊。平日大家忙於上班上課，即使有時在路上碰到也僅點點頭問候一聲，難得今日有機會藉掃墓聚在一起，就像開一場野外家族會議，分外熱鬧。約莫半個多鐘頭，香燃完畢，開始收拾祭拜東西，有些食品並當場大家分而食之，就像野外餐點，十分有意思。

　　我們祭拜的這個墓地，屬於家族墓，也就是說好幾代祖先的骨灰罈都已移到這小小的墓房裡存放。再也不用像以往一樣，每逢清明節就到處奔波著往各個墓園裡，尋找各個祖先那幾乎被野草湮滅破舊不堪的墓碑。

　　這些年來，公所也十分人性化，每年總在清明這天，出動很多公所人員或義工，提供飲水、掃墓用具、洗東西用水甚至發傳單小冊或紙扇子，真是體貼入微。而整個墓區的野草，公所於幾天前也派人全部以除草機割除，使得如今的掃墓工作僅僅是飲水思源的象徵性工作，如此，不知是好還是不好？

　　記得小時候，每逢清明節這天，我們這些小朋友總是特別興奮，因為可以趁機賺些外快或食物。那時有些埋葬第一年的喪家，會在祭拜完後於墓地燃放鞭炮，並當場發東西給前來排隊的小朋友。有時是一毛或五毛錢（視喪家的家境），有時是一個麵龜。總之，一天奔波趕場下來，每位小朋友也能「賺」個三、五塊錢，對於當時家境普遍貧困的孩子來說，這可是一筆不小的收入。如今，每個家庭普遍富裕，即使喪家燃放再多的鞭炮，相信也沒有幾個小孩子會去排隊賺這些「外快」吧，令人慨嘆！

　　「**清明時節雨紛紛，路上行人欲斷魂。**」清明節祭祖方式隨著社會環境的改變而改變。哪天大家再也不用親自去墓區園地裡掃墓了，只要在家裡打開電腦，螢幕上輕輕一點，祖宗墳墓即出現在眼前。電腦也會自動幫你點香祭拜！可能嗎？

　　沒有甚麼不可能。

母親節感懷

又是一年一度的母親節到了，今日從電腦中收到朋友傳來祝福天下所有母親都快樂的訊息，看著看著不覺有些紅了眼眶。

母親已逝世了十多年，雖然至今我的臥室牆壁上，仍然掛著母親的遺相，但怎麼也無法回到母親的生前了。

母親的一生是辛苦的，可以說為了兒女，她從年輕到老年沒有一天享受到清福，直到倒下。

母親一生育有九名兒女，而父親僅僅是一位農夫。為了養活這九名兒女，母親幾乎是從早上一大早起床就忙到晚上，沒有一刻休息。

我是母親的老么，母親四十五歲才生下我。小時候我看母親的生活，每天早起煮飯、洗衣、種菜、養豬雞鴨……，幾乎沒有一刻清閒。農忙時節還要冒著酷暑在大埕上翻晒稻穀，一天煮五餐，就遑論她是怎麼忙的了。

母親實在是太操勞了，在她六十多歲時，腰已經因工作過度而無法打直了。母親終日痀僂著，但仍一刻也無法放下手邊工作。她在菜園裡種菜，由於身體已無法負重，只得央求當時就讀高中的我，幫她把家中的尿桶裡的尿擔到菜園裡讓她澆菜。當時我還年輕，無法體會到母親的辛勞。如今思

與父母及長兄的大學畢業照

之，不免潸然淚下。

母親身體在七十出頭時即每下愈況，他經常向大哥他們訴苦，這裡痛，那裡不舒服。由於鄉下人沒有什麼醫學常識，不知道這是中風的前兆，不免忽視。不久母親就中風了，一手一腳無法行動。母親終日躺在床上，吃飯、大小便都無法自理，母親的痛苦可知。幸賴我們幾位兄弟姻娌，大家輪流日夜的照顧她，讓她稍感安慰。母親中風時間長達十二年，直到八十餘歲才走完她辛苦的一生。

最感遺憾的是，母親在未中風之前，眼見很多親戚朋有都到國外旅遊，某次她向大哥他們表達意願，希望也能出國到日本一趟，卻遭子女以身體不好不宜出國婉謝回絕。不久，她就中風了。母親生前唯一的願望無法達成。母親啊！您教兒女如今怎麼彌補您呢？

寄語天下的兒女，母親在世時，若有任何願望，一定要盡力幫其完成，以免將來留下無可彌補的遺憾！

（『新文壇』季刊）

親情話兩岸

　　從二十多年前開始，筆者由於擔任一家刊物的編輯，經常前往彼岸從事交流活動，有機會認識了很多大陸的文朋詩友。這些文友中，極大部分見過一兩次面後，由於機緣欠缺，往後也就不了了之。當然也有少數例外，經常在電腦網路上還有聯繫。而能夠有機緣再發展成類似「親情」的關係，那就更少之又少了。很幸運的，筆者就有幾段這種姻緣，以下且略述其詳。

　　1999 年 7 月，由北京名詩人屠岸領軍的大陸代表團一行共 16 位男女詩人學者訪台，先在台北進行學術交流，隨即前往全台各地旅遊。在他們訪台的整整 8 天期間，我幾乎全程陪伴他們，從而建立了更深一層的友誼。在即將離台的前一個晚上，大家離情依依。當日夜宿高雄某飯店，我邀約其中兩

左起：作者、薩仁圖婭、樊洛
平攝於高雄海邊

位團員，蒙古族女詩人薩仁圖婭及鄭州大學文學院副教授樊洛平，前往旗津海邊踏浪一遊。當夜月明星稀，海風習習，海浪一波波沖襲海岸。我們三人肩併著肩手拉著手在柔軟的沙灘上行走，有時跳躍，有時歌唱，激動雀悅又離情依依的心情，在我們的心上蔓延。最後不知是誰忍不住提議，為了記住這一難忘的夜晚，記住這一趟難忘的旅程，不妨來個兩岸一家親，三人互相結拜為兄弟姐妹。此提議三人全部同意，於是按照年齒薩仁圖婭為大姐，我是老二，樊洛平為老妹。

轉瞬之間，時光經過了十多年，如今我們三人還經常互有連繫，時時關懷對方，也算是情牽兩岸之一例吧！

2006 年 9 月下旬，我應邀前往重慶參加一項詩學會議，此次旅程另有一項任務，即是攜帶一罐骨灰罈給四川的詩人傅智祥先生。傅兄的父親四年前因病亡故於台灣，由於當時兩岸探親規定尚十分嚴峻，傅兄不便來台辦理奔喪、遺產繼承等手續，遂委託我全權辦理。經過無數次的奔走後，前後歷時一、兩年，終於將所有手續辦妥，只剩下傅父的骨灰罈暫存國軍忠靈塔，等待智祥兄哪日來台領回。又過了一年多，由於我有機會前往上述時間地點開會，遂順便給他帶過去。

收到骨灰罈後，過了不久傅兄寫信來，信中說：「**親愛的台客兄弟啊！由於『隔海』的關係，親身兒子無法盡的孝道，卻由你幫我完成，我們不是親兄弟卻勝似親兄弟，我真不知道要如何感激你……**」

又隔了一年，我幫傅兄辦妥了來台手續，傅兄終於來台領取到一筆為數不小的他父親的遺款。傅兄來台匆匆幾日，我也盡心盡力接待，讓他有「回家」的感覺！

王麗平與謝易利攝於復興鄉

2015 年 11 月初，筆者接到重慶西南大學新詩所副所長向天淵的 e-mail，表示他所裡有一位女研究生來台短期就讀北部某大學，希望我有機會能代為照顧。向副所長曾來台兩次，我也曾多次到該校參加詩學會議，接受他們熱情的接待，雙方算是極熟的老友。對於向兄的請託當然十分重視，於是積極聯繫。曾經帶著這位女同學至台北參加詩會活動，後又開車載著這位女同學王麗平及她的室友，也是西南大學同學的謝易利至桃園復興鄉遊玩，並來我家一敘。雖然僅僅兩三次相處，但感覺她們都是極為有禮貌、上進心極強的同學，也覺得能在台灣能認識她們真是一種緣份。於是遂產生一個想法，希望認她們二人為乾女兒。經向二位徵詢，她們經過短暫考慮後，也同時高興的答應了。

當然，由於有了這層關係，相信以後我們的互動，她們二位就不用再對我那麼感覺「陌生」與「客氣」了才是！

春　雨

　　午夜時分，好夢方酣，突然雷聲隆隆，屋外下起了大雨。原本燥熱的屋內空氣，突然變得涼爽，讓人一覺到天亮。

　　晨起，至頂樓花園漫步，空氣一片清新。原本昨日呈現奄奄一息的花草，經過昨夜一場春雨的滋潤，欣欣向榮。木架上的絲瓜藤竄得更高了，幾朵小黃花在半空中展現著美麗。

　　春雨貴如油！

　　由於春雨的滋潤，土地獲得了生機，萬物得以生長。

　　由於春雨的灌溉，農田獲得足夠的水分，農人得以開始耕種，一年之計在於春。

　　由春雨想到了我阿爸，因為他也是一位農夫。

　　小時候經常看到阿爸在田裡，不是巡田水就是整理田埂拔除雜草。農忙時節他則拉著家中飼養的黃牛在田間耕作。從早到晚，沒有一刻休息。太陽曬得他額頭滴滿汗珠，田裡的泥水則濺滿了他的全身。如此操勞，只為了換取一家幾口得以勉強糊口。

　　有時春耕季節開始了，老天偏偏不下雨，稻田乾涸，無法展開犁田的工作。此時除了不斷祈禱老天早日降雨外，也至農田水利會申請引水灌溉。一條長長的水道從水庫到我家田裡，中間經過多少別人的水田，你想灌溉，別人也想整治

農田。於一場搶水大戰就此展開。

　　那時候只要我沒上學，阿爸就會叫我去巡水道、顧水閘門，因為一個不注意，水道裡面的水就跑到別人的水田裡了。

　　如今水道早已廢了，農田也蓋起一棟棟大樓，阿爸更已去世十多年了。站在小時候生長的故鄉的土地上，我不禁感慨萬千。

　　春雨仍然每年下著。

　　　　　　（入選湖南長江文藝出版社『2015 年
　　　　　　台灣年度散文精選』）

楊增棠國畫作品

我的空中花園

　　我的空中花園，位於四樓的頂樓，面積大約有四十餘坪。

　　由於這棟大樓裡，居住的住戶，都是自家的親兄弟，且我本人即居住於四樓，故對於頂樓的使用權，大家都沒有意見，一向相安無事。

　　在頂樓的水泥地上，我擺置了大大小小形式各異的花盆，花盆裡種滿了各種花花草草，甚至也用較大的盆子，栽種了幾株果樹，諸如橘子、芒果、龍眼等。

　　在沒有下雨的日子，每天早上我都要到頂樓去，澆澆花、拔拔草，看看果樹生長的情形，有時也順便施肥或除除蟲害。

　　由於有了花草與綠意，頂樓上每天也吸引各種小動物前來。蜜蜂與蝴蝶是常客，牠們在花草之間吸食花卉、採蜜，

遇到適合牠們後代繁衍的環境，牠們也毫不猶豫的產卵、生子。故經常在花葉間看到小蟲的蹤跡，若不盡早抓除，可能就會影

響植物的生長。

　　為了解決每天澆灌花木用水的問題，我也在頂樓之上購置了大大小小造型不一的塑膠桶，用以儲水。每逢下雨天就是我忙碌的日子，因為我要負責把每一個桶子裝滿水。估計所有的桶子裝滿了水，即可維持約兩個多月無雨的日子。在頂樓栽種花樹多年，甚少碰到要使用自來水的情況。

　　頂樓除了栽種花木之外，也放置了很多奇石。這些奇石有大有小，一部分是我從河床上撿回，一部分購自石店。我將這些奇石擺置在花叢、樹木之間，讓樹石相得益彰，更顯美麗。

　　最近，由於春天到了，我和妻特意到市場購買兩株絲瓜苗回來栽種，並為它們搭起了四方形的空中棚架。僅僅一個多月時間，它們已竄高到幾近覆滿了整個架子上方，並開出一朵朵美麗的黃花，有些已結成了小果，令人欣喜不已。而同時，前兩年種下的幾株柑橘，也紛紛開起白色小花，結出小果，看來今秋可以在絲瓜棚架下，享受自己種的甜美柑橘了。

　　每逢我讀書或寫作累了，我也不自覺的由四樓書房走到頂樓花園，賞賞花看看石頭順便做做體操或運動，以抒解筋骨。在空中花園裡漫步、沉思，有時會有意想不到的靈感，使得我迅速的完成一首詩或散文，空中花園也是我寫作心靈的補給站。

　　我的空中花園，四時開滿了鮮花，結出了各種蔬果，引來了蜂蝶昆蟲成群拜訪，熱鬧非凡。朋友，哪一天也歡迎您前來作客。

陶壺的記憶

　　頂樓空中花園的一個小小角落裡，放置了一個陶壺，裡面裝滿了我小時候滿滿的記憶。

　　這是一只燒製得很粗糙的陶壺，大肚、小口，肚內足可裝滿約一公升的茶水。夏日時，可供多人飲用一陣子而不虞匱乏。

　　這只茶壺來到我家至少也有半個世紀以上。如今，我將之視為傳家之寶而小心珍藏。

　　小時候家中務農，每當夏季農忙時，母親就將這只茶壺從置物堆內找出，刷洗一番，然後裝滿一肚子的茶水，囑我提著到田間供幫農的師傅們飲用。後來我長大了，可以幫忙

農事，每當在田間工作一段時間，感到疲累口乾舌燥時，就走到這只茶壺旁，用杯子倒一杯茶水，隨意坐於田埂旁飲用，總感覺這些茶水真如

瓊漿玉液般甘甜可口，過癮至極。

　　後來社會逐漸轉型，我們家也不再務農了。多年之後，家中的農具諸如犁、耙、畚箕、鐮刀等等農具都已散失。連父母也已過世十多年了。獨留下這只茶壺，靜靜的躺於被蛛網灰塵滿佈的破舊倉庫裡。

　　一次偶然的機會，我發現了它，勾起了我滿滿的回憶。我也如當年母親般，取出將它細心刷洗一番。不過這次不是要裝茶水，而是要裝我童年的回憶，讓它陪伴我直到永遠。

（『聯合報』家庭版）

馮蓮英國畫作品

退休感言

終於要退休了，人生的最重要的階段走到了終點。往後，雲淡風清，日日可以睡到自然醒，想到哪裡旅行就到哪裡，不用排假，不必看長官臉色，說多爽就有多爽啊！

自從二十五、六歲，大學畢業當兵退伍後，就一直汲汲營營為五斗米而折腰。曾經幹過多種工作，最終考進這家機構做為我棲身之地。從當初進入機構算起，到今我已在這裡服務將近三十年了。三十年時光，將一個當初三十出頭的有為青年，變成如今白髮叢生，體力日差的「準老人」。時光飛逝不待人哪！如今一對兒女，都已長大成人，經濟上稍可獨立。反觀自己，所剩餘年到底還有多少？豈可不選擇急流勇退，享受有限的夕陽時光呢？

終於要退休了。猶記得今年初，將這個想法向老婆大人報告時，老婆雖叨唸了幾日，但最終也不捨得我每天早出晚歸這麼多年而「勉予同意」。倒是岳父大人及幾位兄姊有點意

榮譽狀

廖振卿 君

服務郵政逾二十九年期間
勤勉奉獻工作著有績效
特頒給榮譽獎狀以彰忠藎

桃園郵局
局長 江瑞堂

中華民國 100 年 10 月 1 日

見，他們說：「機構待遇不錯，多少人想進都進不去，能做就盡量做，年齡還沒到，不要輕言退休。」他們的意見與想法我當然知道，然而最終我還是選擇了急流勇退。除了上述想法外，最主要也是要空出位置，讓年輕人多個機會。錢，是永遠賺不完的。不是嗎！

終於要退休了。往後的日子要如何安排呢？首先，在體力尚可的階段，我要盡量出國旅行，看看這個精彩的世界？同時要將所見所聞，以這一枝多年來熱愛文藝的筆記錄下來，化為文章出書留念。其餘日子則多讀些自己喜愛的書，看一些自己喜愛的影集。當然，要活得精彩，身體健康是最重要的，故要每天持續不間斷的運動。

總之，從職場上退休，不是人生的結束，而是人生另一階段的開始，我要為自己加油！

（『郵人天地』月刊）

文學義工三日記

　　文學界的一位好友，將在台北主辦一場兩岸及海外學術研討會，請我去當義工，基於多年情誼，且事關國家大事，也就爽快的答應了。

　　研討會包括開會及文化考察前後共六天，朋友請我幫忙前三天，也就是第一天接機報到，第二、三天開會期間管控會場秩序。

　　第一天接機報到，我們共三人早上十點多即趕往桃園國際機場第二航廈，大家分工合作，佔據出口通道的左右兩側，高舉醒目的木板牌子，迎來一批又一批的貴賓。從早上十點多至晚上九點多，將近十二個小時的站崗、守候，簡直把大家都累翻了。但當看到每位貴賓感激的眼神，以及稱讚我們的服務周到，大家也就不覺得疲累了。

　　貴賓總共近四十人，分從不同國家與城市出發前來，雖事前都已知道他們抵達的班機與時間，但卻也意外連連。如兩位從北京出發的貴賓，因無申請入台證而受阻於機場無法順利登機；兩位從天津前來的貴賓，因天候不佳班機遲遲無法起飛，竟延遲了四個多小時；一位從吉隆坡來的貴賓，班機在第一航廈降落，因無託運行李，班機降落後即急急出境，害我們派去的一位接機人員在那邊枯等了兩個小時；一位從

江蘇鹽城來的貴賓，因班機臨時改降第一航廈，導至他出來後找不到我們，而我們也苦苦等不到他……

第二、三天，大會在台北市的一家知名會館禮堂舉行，包括受邀前來與會的台灣學者、專家共約六十多人齊聚一堂，相互切磋，沉浸在美麗的學術殿堂。大會進行期間，幸賴十多位美麗的女志工貼心服務與幫忙，才使得大會進行得井然有序。

兩天一夜的大會，很快就結束了。然而好友在言談中透露，為了這一場國際盛會，他整整忙了半年多。期間幾經諸多挫折與困難，還多賴幾位精明幹練的女志工當他的後盾，才終於使大會順利在台首次舉行。而更難得的是，他籌辦這場盛會，完全以民間團體的名義進行，政府相關單位沒有出面也沒補助半毛錢。他說：「估計我要倒貼三、四十萬元。」不過能為兩岸及海外炎黃同胞舉辦這一場十分有意義的盛會，雖然辛苦，但他說：「值得。」

第三天晚上在某知名大飯店舉行聯歡晚會，席開十桌。兩岸藝文界同胞相互舉杯，盡情交流。除互贈禮品外，並相互飆歌尬舞，熱絡亦常。晚宴進行兩個多小時，晚上九點多才依依不捨的結束。

當夜返抵家門，已近十一時了。身體確實十分疲累，但精神告訴我，這三天兩夜的付出：「值得」

（『藝文論壇』季刊）

百合花又開了

百合花又開了，從四月初，當一季的寒冬終於走後，它的莖幹就悄悄地從土裡冒出頭來，不斷地長高，到了五月初，它已長到約幾十公分高，莖幹上方長出六個花苞。開始只是小小一個，幾日不注意，它已長到十來公分，看來再過幾日，它可能就會盛開了。

　　這株百合花是我某次開車出外旅行時，於宜蘭某山區路旁獲得。當初發現時，它僅僅是小小的一株，摻雜在雜草中，十分不起眼。我小心翼翼地將它整株挖回，種植於一個中型花盆內，原本也沒抱多大指望，它能順利長大開花，想不到它竟然順利的存活下來，且經過一段期間後，開出好幾朵美麗的白色喇叭花。經過一陣子，花謝了，再後來莖幹也枯爛了。冬季到了，百合花完全從花盆裡消失，令人悵然。

　　原本以為百合花從此結束了生命，想不到隔年春天它又悄悄鑽出頭來，繼續長大開花，我才知道原來這是根球類植物的通性，一年一開花。它的球體在地底下不斷蘊育吸收營養準備，待到隔年春天則保握機會成長開花，把它一生中最美麗的一刻獻給這個世界，多麼地令人稱賞啊！

　　百合花的種類非常多，諸如香水百合、鐵砲百合、高砂百合、白百合等等，它的花色除了較常見的白色外，也有桃紅、黃赤等顏色。白色百合花代表純潔、莊嚴，桃紅色代表清純、高雅，黃赤色代表財富與榮耀，各有其不同意義，若買來送給傾慕或喜歡的人，要針對對方的喜好仔細挑選，才能博得歡心。

　　我所種植的這顆百合花屬台灣的野生種，開白色的花，我非常的喜歡它。希望每年春天都能見到它花開的美姿，在藍天麗日下亮麗展示。

晨起漫步

晨起，刷牙洗臉之後，走到頂樓空中花園漫步。

早上五點多，天剛剛微熹，頂樓花園的花木猶沉浸在昨夜的露水中未醒。春夏之交，清晨的空氣十分清鮮涼爽，我不覺的舒展一下筋骨，深深吸了好幾口氣。

鳥叫蛙鳴，不斷從四面八方傳來。

我拿起一個水瓢，為一些盆栽澆水，經過一整天的等待，想必它們已十分饑渴，就像人每天一定要吃飯，它們每天也要喝水。

蹲下身來，仔細看著一些盆子裡栽種的蔬果菜類，是否成長了些？是否被蟲害侵襲？

兩隻鴿子，急急的走到我身邊，眼神焦急期盼的望著我。這是我放養的一對鴿子，牠們肚子餓了，希望我灑些飼料給牠們。

一個小小的人工魚池，池中蓮花盛開，蓮葉下一群小魚快樂的上下游動。我灑了一些飼料下去，牠們紛紛趨前搶食。

做完了每天該做的功課，於是我開始在花園的小徑上來回漫步，並做做體操。

花園外圍遠方，視線所及，原本是一大片青翠的山巒。想不到幾年前紛紛冒起的幾棟大樓擋住了一大半風景，令人

掃興與無奈！

　　近處，一條斜坡式的彎彎路橋，像一條即將緩緩騰空的巨龍。

　　起先，由於時間還早，橋上人車稀少。逐漸逐漸，人車越來越多，像一條車龍蜿蜒，上下川流不息。

　　原本，此時我也應該加入他們的行列，為生活而打拼。尚幸去年我已從工作崗位退下來，目前過著悠閒平淡的生活。

　　人生就是這樣，春耕夏耘秋收冬藏。四時花開花謝。勿喜勿悲。

　　晨起漫步在頂樓的空中花園，我似有所悟。

空中花園裡的石頭大軍

山水瓷盤

一個圓形的山水瓷盤，被用架子托住，直立的放在我的書桌上，美極了。當我讀書寫作累了的時候，就拿起來欣賞一番。

瓷盤不大，大約一個手掌大小。盤子上畫了一幅國畫。崇山峻嶺間一道瀑布轟隆宣洩而下，瀑布旁左前方遠處一座小山，山頂隱隱一間紅頂小屋，屋前方幾棵大樹。布局簡明合理，讓人看了心曠神怡。

這個瓷盤從何而來，是一位畫家所贈。

這位畫家習畫已有已有二十多年，先向一位山水國畫大師學習，後跟隨一位花鳥名家學習。

原先，她都是以宣紙作畫。某次跟畫友到鶯歌來欣賞陶瓷，到一家陶瓷廠現場畫陶，深為喜愛。往後她就經常前來，用她所學的畫藝，在一個個大大小小的瓷盤上作畫，畫好後

再上釉拿去窯裡電燒。如此經過幾天功夫，一個個美麗的山水瓷盤就完成了。

　這些瓷盤她大都擺放在家中的櫃子上自行欣賞，也有好友到訪，見之愛不釋手，她也大方贈送一二。我的這個瓷盤就是某次前往拜訪時，承她好意贈送。

　問她何不以合理的價格出售，補貼成本。她謙虛地說，目前還在試畫階段，談不上買賣。

　一個圓形的山水瓷盤，被用架子托住，直立的放在我的書桌上，美極了。當我讀書寫作累了的時候，就拿起來欣賞一番。

馮蓮英國畫作品

橘子花開了

　　橘子花開了，滿樹的雪白，千萬朵小花，像神奇的精靈，在短短幾日內同時綻放。其香氣撲鼻，引來蜜蜂紛紛飛來採蜜，賞花人也聞風前來。

　　「哇！好漂亮好香的橘子花，你們是怎麼種的，怎麼開得這麼茂密？」那日幾位朋友來訪，我帶他們上頂樓觀賞這株橘子樹，他們發出由衷的讚賞，並且好奇地問著。

　　我不禁陷入一陣沉思。

　　大約四年多前，某次前往菜市場購物，偶見有商家販售果苗，遂買了兩株橘子樹。返家後種在頂樓的大盆栽內，日日澆水，勤加照顧。隔年春天，兩樹分別開出稀疏幾朵小花，卻不堪風雨摧殘，旋即凋落，令人惋惜。又一年，兩樹開花後結了一些小果，卻因施肥不當，其中一株枯死。幸好另一株搶救得宜，終於倖存，但我已不敢對它抱有太大期望。

　　沒想到歷經漫漫一整個寒冬的養精蓄銳後，今年農曆年春節剛過，這株曾經奄奄一息的橘子樹竟像變魔術般，一夜間枝頭上冒出了千朵萬朵的小白花，令人訝異萬分。又過了一段時間，小白花紛紛飄落，枝頭上出現一粒粒小小的青澀果子，讓人充滿了好奇與期待！

　　「長了這麼多果子，今年秋天你們想必有口福了。記得

到時不要忘了邀請我們同享喔！」那日一對好友夫婦前來觀賞，讚歎之餘，開玩笑地對我提出了要求。

「當然，當然！」我立即答覆。

從枝頭上的青澀小果到長成金黃大果，肯定要付出更多的辛勞，但要怎麼收穫先怎麼栽，今後我一定會一如既往，每天細心呵顧它們。

期盼著今秋豐收的日子早日到來！

（『中華日報』副刊）

已結實累累的橘子樹

夜　市

　　居家附近有一陸橋，原本十多年來橋下荒草萋萋，垃圾滿地，零亂異常。平時除見人、車偶爾匆匆路過外，即是野貓、狗聚集的場所。去年九月，突見有人前來整理，將雜草、垃圾清除，用推土機將地整平，鋪上水泥，然後四周種上一些花草，變得十分美觀、整潔。

　　又過了一陣子，大約農曆年前，突然陸橋四周電桿上到處懸掛旗幟，前往一瞧，原來是預告從某月某日開始，陸橋下每星期六晚上將有夜市活動。「真的嗎？太好了，以後逛夜市走路就到了，真開心！」妻與女兒知道消息後討論著，大家都期待著正式開始的那日儘早到來。

　　好不容易等到旗幟上預告的日子，陸橋下卻仍是冷冷清清的，怎麼黃牛了？大家紛紛猜測，有的說是鄰近有大樓住戶抗議，怕夜市造成環境髒亂；也有說大概是向公所申請手續尚未辦妥或其他原因。總之，夜市開始的預告黃牛了，令人有些失望！

　　過完了農曆年，今年三月突然某個星期六下午，陸橋下開始有人擺攤，到了夜晚，橋下原本不太明亮的燈光，更是大放光明，人來人往，熱鬧異常，原來期盼多時的夜市正式開始了。我趕緊衝進屋內，告知妻、女，她們笑著說：「早上

廣播車已到處宣傳，我們早知道了！」喔，原來我還是後知後覺呢！

夜市開始擺攤後，一連多個星期，不是碰到下雨天，就是氣溫突然變冷，人潮並不踴躍，有些賣飲料、賣冰、雜貨的小販生意清淡，我真的有些替他們擔心會擺不下去。但隨著氣溫一日一日變暖，人潮也越來越多，看著小販們一個個忙碌異常，笑逐顏開，我也替他們高興。

大約一、兩百公尺的陸橋下，共擺了約幾十家的攤販，吃的喝的當然佔大多數，也有一些是屬於玩、樂性質或其他等。從頭到尾緩步走一趟，大約花個幾分鐘時間。每個星期六晚上，只要沒外出旅行我都會前往逛個一兩趟，買點飲料、水果或其他吃的東西。有時甚至事先告知妻，不要為我準備晚餐，前往夜市大快朵頤一番。

夜市既能帶動經濟，促進地方繁榮；也可增進就業人口，讓很多家庭得以維持生活；更具有觀光的價值。台灣很多地方都有夜市，一些大都市的夜市更是聞名中外，連外國觀光客都慕名而來。

朋友，星期六晚上有空嗎？不妨和我一樣，逛逛夜市吧！

「白吃」心情

竟然，我也被人嗆「白吃」，而且嗆得自己無話可回，那種心情到底是怎麼樣啊！

話說某個週末，我騎機車由上班的某市欲返回住宿的某鎮家中，途中由於還沒吃晚餐，遂在路邊一家不曾消費過的麵店停車，叫了一碗牛肉麵加一盤小菜，共台幣一百餘元。吃著吃著終於吃完了，起身欲付賬，摸摸口袋，只摸到一個五塊錢的銅板。完了！怎麼會這樣？記得早上口袋裡還有一兩千元的紙幣，怎麼不見了？仔細一想，原來中午換長褲，卻忘了將錢拿出，如此這般如何是好？

看看年約三十來歲的年輕老闆娘正在攤上忙著，心想不妨以身上攜帶的證件暫且抵押，次日經過再拿錢贖回。摸摸所有口袋，只有幾張衛生紙，並沒帶任何證件在身上。心有些慌，但也不得不面對。遂緩緩起身走到老闆娘面前向她說明。老闆娘聽後笑笑沉思著不知如何解決。此時年輕老闆由店內走出來，一看情形，大聲的說：「你想白吃啊！」「我是白吃的人嗎？」我一聽也有點生氣的反問。年輕老闆更大聲的回答：「你現在就是白吃啊！」我一想，也是。真是虎落平陽被犬欺，打落牙齒和血吞，遂默然不語。

說到因疏忽出門未帶金錢而消費購物，面臨尷尬場面，

此次還不是第一次。記得先前有兩次前往自助餐消費，待點完餐欲付費時，摸摸口袋才知空空如也。幸好那兩次因經常前往消費，老闆也算有些認識，就不便太過為難。也因此自己「惡習」難改，此次終於面臨難堪場面。想想自己雖不富有，但還不致於吃個飯也想賴賬吧！但現實社會百態，確有少數無賴專門以各種手段白吃白喝，若老闆對每個白吃白喝者都面慈心善，那他的生意也很難維持下去，不是嗎？

　　此時老闆看了看我，丟下一句：「把手上的手錶脫下來吧！」唉！好吧，我遂默然將錶脫下交給老闆娘保管。如此這般才暫且脫身，騎上機車一路返家，沿途越想越不是滋味。騎了十幾分鐘抵家，趕緊拿了錢又返回麵店贖回手錶。

　　吃這一頓晚餐真是屈辱與折磨啊！

　　但能怪誰呢？怪自己唄。

金針花的回憶

　　頂樓上種植的金針花又開了，從最初的幾朵，到如今繁衍成一大片，令人訝異它們生命力的旺盛，也讓我回想起幾年前，帶它們回來的情景。

　　那是大約幾年前，我和妻還有她的幾位畫友相約一起前往花東旅遊。我們共開了兩輛車從台北到宜蘭，然後一路走蘇花公路南下，第一夜我們住在花蓮其中一位畫友妹妹的家中，接受她們全家盛情的款待。次日我們續往南開至玉里鎮，

金針花與小模

台客

金針花與小模
哪一方比較美？
這是我站在花蓮六十石山上
苦苦思索的一個問題

一陣微風吹來
吹動小模長髮飄飄
滿山遍野的金針
在仲夏的斜陽裡刺繡

而遠處的青山與白雲
而近處的一簇簇賞花人潮
把這個號稱台灣小瑞士的山巒
襯托得彷彿人間天上！

（2012/8/22遊花蓮六十石山歸來）

在鎮上吃了午餐，然後驅車上赤科山。赤科山種滿了金針花，滿山遍野，美景天成，令人贊嘆不已。我們在山上一家老屋 —— 汪家古厝休息、吃水果、冰品，並欣賞古厝邊整排好多好長的蛇瓜。休息夠了再環繞山上小路欣賞眾花才下山。

就在下山的途中，我順手挖了兩株花苗回來栽種，想不到如今繁衍成一大片。

那一次旅行中，我們除了參觀赤科山，也順道至另兩處同樣盛產金針花的景點，花蓮富里的六十石山、台東太麻里的金針山。感受三處金針山不同之美。

金針花古稱萱草、忘憂草，也是中國俗稱的母親花。它是家常料理中常見的食材，本身含有豐富的蛋白質和鐵質，營養成分頗高，同時據有安神忘憂的療效。金針花又稱「一日美人」，早上開，晚上凋萎。故採摘都在清晨露水未退中進行。

記得小時候也曾在母親種植的菜園裡發現金針花的蹤跡，一整排種在菜園的外圍空地。每逢開花季節，母親也摘些花苞回家煮湯給我們吃。如今母親已過世十多年了。見到了母親花，想起了母親，倍感懷念與感恩，

（『中華日報』副刊）

我們考上了校長

　　週末下午，一對外甥女聯袂從楊梅開車來到我家，除了帶來精緻的伴手禮，並向我報告：「娓舅，我們考上了校長……」

　　兩位外甥女分別在楊梅不同的中學擔任教師、主任多年，但她們不以現任職務為滿足，教課之餘，積極努力進修，經過幾年失敗，今年終於讓她們達成夙願，兩人聯袂考上校長職務，真是可喜可賀。

　　看到了兩位外甥女，我不禁想起了她們的母親 —— 我的六姊。當年由於家貧，以及父母重男輕女，儘管六姊的小學成績極為優秀，但畢業後仍得進工廠做童工賺錢貼補家用。二十多歲時，六姊經人作媒嫁給楊梅客家莊的吳家。吳家的條件比我家還差，可說是家徒四壁。六姊抱著嫁雞隨雞的心理，每天除了辛勞操持家務外，還出外賣菜賺錢，貼補家用。

　　一次機會，六姊經人介紹，在台北市的一個傳統市場租了一個攤位，從此每天楊梅、台北兩地跑，真是倍極辛苦。二十多年下來，六姊靠著賣菜養活一家人，栽培五位子女各個讀到大學、研究所畢業。正當大家認為六姊苦盡甘來，可以享享老福時。一場意外的車禍竟然奪走了她的生命，讓人大嘆老天何其不公啊！

「娓舅，您在想什麼，怎麼面帶憂愁？」

兩位外甥女見我突然緘默，似有所思，不禁提問。

「喔，沒什麼。我只是在想應當選哪個適當的餐廳，請妳們吃頓大餐，以慰勞妳們……」

我趕緊將話題叉開。心裡卻默默在想，六姊您當年欠缺無法完成的，您的子女都已幫您一一完成，您應可含笑九泉，了無遺憾了。

（『新文壇』季刊）

詩人畫家薛雲國畫作品

大膽的偷車賊

　　一般盜賊偷車，總利用夜深人靜在路旁鬼鬼祟祟行動，沒聽過自家的車開進自家的停車鐵皮屋內放妥，傍晚時分，鐵皮屋尚人來人往也會被偷。然而事情還是發生了，究竟是什麼情形？

　　話說那個星期六晚上七點多，我從外面開車返家，欲將車開進我們家族共用的鐵皮屋停車庫停放時，卻發現車庫大門內橫向停了一輛九人座的白色廂型車，廂型車引擎發動著，前燈亮起。這不是我們家族的車子，為甚麼要如此停放呢？我感到有些奇怪。後來一想，今天是星期六，或許是大哥大兒子的朋友到訪，開來暫停的車子，現在要離開了，但尚未駛出。來者是客，於是我也不便按喇叭提醒、催促，而將自己的汽車倒車暫停於車庫門外馬路，心想先返家上樓休息，等一下再下來將車開進車庫裡。

　　約過了半個多小時，樓下人聲鼎沸，我趕緊下樓查看。走到停車庫，只見大哥一家人都在，大家議論紛紛。我詢問何事，才知道姪兒的汽車剛剛被偷走。怎麼會呢？停在自家的鐵皮屋車庫內，且現在才晚上八點多，偷車賊何其大膽。對了，那麼剛才我七點多返家碰到的那輛停在門口打橫亮燈的廂型車子，豈不是偷車賊開的車子嗎！或許那時他們正分

兩組人在作案，一組偷車，一組開車警戒。唉，只怪自己警覺心不夠，那時沒有下車查看、詢問一下，否則這個憾事也就不會發生了。但真的，誰能想得到呢？平常星期假日，經常就有到訪的親戚朋友的車子暫停放在車庫內，以致讓我失去了戒心。我們的家族車庫位於一條長約五十公尺的死巷內，當時只要我有所警覺，將車子堵在車庫門口，那麼偷車賊的那輛廂型車無法駛出，豈不是甕中捉鱉，穩死嗎？

然而車子已經丟了，趕緊處理善後吧！除了立即報警，也於翌日一大早發動所有家族騎機車到附近街道尋找。上午九時許，車子尚未找到，歹徒竟打來一通電話，勒索數萬元，才願將棄車地點告知。氣得失主姪兒在電話中痛罵偷車賊：「我寧可車子不要，也不給你們一毛錢。」歹徒碰了一鼻子灰，只得立即將電話掛斷。中午時分大哥那組人傳來好消息，車子找到了，被棄置在鎮上某條偏僻的街道旁。大家趕緊前往會合察看，只見車內的音響、零錢、禮券等被搜羅一空，估計損失至少五萬元以上，大家恨得牙癢癢的。

姪兒立即通知警察前來採證，然後請修車廠前來拖吊回去處理。在警察未採證之前，我們也在失車附近暗中觀察，看看歹徒會不會前來自投羅網？也確實觀察到一輛緩緩駛過的汽車，裡面的人探頭探腦似乎大有問題。我們趕緊記下車號，並騎了機車跟蹤，查到這輛車子就停進離失車不遠的一條巷子某戶人家裡。我們將這個寶貴的訊息提供給警方，然而警方卻說：「沒有當場抓到小偷，我們也無可奈何！」全案就這樣不明不白落幕了。

被騙記

　　朋友，你有沒有被騙過，若沒有我恭喜你；若有則我同情你。

　　若你問我，我有沒有被騙過，我要坦誠的告訴你，有，且被騙不止一次，幸好損失金額都不大，足可以作為教訓。

　　被騙的第一次是在中國大陸桂林蘆笛岩出口，時間約在十餘年前。那時兩岸剛好開放旅遊不久，我隨觀光團前往觀光。參觀完蘆笛岩地下溶洞的精彩鐘乳石後，我們人擠人的走出黑暗的洞口，只見洞口外擠滿了另一群當地的小販，人人手裡拿著一大疊風景圖片。見到了我們，立即趨前拉生意。

　　「五套一疊新台幣一百元，買一疊嘛，先生！」一位年約十七、八歲的年輕人前來向我推銷。一邊跟我走著，一邊口裡一直拜託。

　　「好吧！就買一疊。」本來我心裡就有點想買，經他一再的懇求拜託，我終於下了決心，從口袋裡拿出一張一百元紅色小鈔給他，並從年輕人手裡拿到一疊五套的風景圖片。

　　正當我低頭大略欣賞剛拿到的圖片時，只聽那位年輕人說了：

　　「先生，對不起，你拿錯了，你拿給我的一張十元的紙鈔，你看！」

　　我接來一看，果然是一張十元紅色紙鈔（早年市面上尚有少部分流通），因為事出突然且現場環境吵雜混亂，遂也不多考慮，立即從口袋裡再掏出一張面額百元鈔給他。年輕人收了錢後，又向我哀求：

　　「先生，你這張十元紅色紙鈔可以送我當個紀念嗎？」

　　我心想，小小數目無所謂，就順手又拿給他。

　　返回遊覽車上，只見每個人幾乎手上都拿著一疊風景圖片。有幾位也「不慎」拿到紅色的十元紙鈔付款，大家才恍然大悟，通通被騙了，大罵這群大陸人真壞！

　　不過我們每人僅僅被騙一百元，同團還有一位更倒霉，他因無百元鈔，拿了一張千元鈔給小販，小販請他等一下去找錢，就此不見蹤影，共損失九百元。

　　有了這次在風景區被騙經驗後，往後我前往中國大陸旅遊，倍加小心，但仍難免再被騙一次。

　　話說約六年前我獨自搭機到北京訪問，幾天後返回在香港啟德機場轉機回台。當我一個人揹著一個小包走在過境走道時，突然一對狀似母女的女人叫住了我說：

　　「先生，我們剛去泰國旅遊回來，不幸皮包被人偷了，如今差人民幣七百元無法買機票回北京，這是我的名片，我看您是一個老實人，能否幫幫我們的忙？」

　　我停下了腳步猶豫著。此時「女兒」又說話了：

　　「先生，您看我的名片，我們在北京是做珠寶加工生意，絕不會騙您一點點錢。不相信您可以看我們的護照，以及我們手推車上在泰國買的東西……」

　　我又沉思了幾秒鐘，然後從口袋內掏出人民幣七百元及

一張我的名片給她們。只見母女倆臉上露出了十分感激的神情。

　　返回台北後我癡癡的等，兩個月過去了，一直沒有接到寄來的還款。忍不住打了一通國際電話去問，才知該店並無此人。您說，嘔不嘔人？

　　以上兩次被騙，損失金額其實不大，只是人與人的互信基礎徹底被打敗了。往後在旅途路上，碰到人向你兜售或求助，你幫還是不幫？你買還是不買？

馮蓮英國畫作品

被偷被扒記

從小至今，各有一次被偷被扒的經驗，由於損失頗為慘重，記憶難忘。

被偷的慘痛經驗發生在大約二十年前。

那時我在某機構上班，每日上下班唯賴的交通工具是機車。由於每天騎乘上班的那輛機車已老舊，遂買了一輛三陽一二五的全新機車，車價三萬多元。

乘著全新機車出門，我一向小心翼翼，深恐有所閃失被偷。如此騎了一個多月，相安無事。

某個星期日，我騎著它到某市鬧區去辦事，抵達目的地後將機車停在騎樓，人進入大樓乘電梯。大約十分鐘後下樓，竟然機車已不翼而飛。怎麼會這樣，我記得離開時機車龍頭有上鎖，哪有可能？

我一個人在騎樓底下呆若木雞，喃喃自語。到四周圍再找找看。然而一切惘然。真的被偷了，我不得不承認事實。

撿據資料，到派出所報案，過了幾個月沒有消息，我徹底失望。

這件事在我心上留下一道陰影，好久好久才散去。

被扒的經驗則發生在約二十五年前。

　　那時我才三十多歲，某年夏天帶著全家上阿里山旅遊。旅遊完畢我們搭乘登山小火車下山，抵達嘉義火車站，我前往售票口，準備購買車票繼續南下高雄探親。售票口前面約排了約五、六個人，大家依序排隊。不一會兒就要輪到我了，我摸摸後面口袋準備拿起皮夾掏錢，豈知一摸心裡暗叫不妙，皮夾不見了。要排隊之前我還確定皮夾還在，那麼是剛剛被扒。我趕緊環伺四周，然而車站人來人往，扒手臉上又沒有寫字，何況他們得手後早就不知溜到哪裡了。

　　身上沒有半毛錢，身陷旅途之中，舉目無親，如何是好？

　　幸好老婆大人身上還有些錢，足夠買車票南下，我們才倖免流落異鄉之苦。

　　那次被扒除了證件之外，現金總共損失一萬六千多元。那時候這個數目可是一筆不少的錢，比我一個月的薪水還多。

　　這件事也在我身上留下長長一道陰影，從此我出門在外，身上再也不帶任何皮夾了。

月琴學習記

　　退休之後，有較多閒情，因緣巧合之下，我報名參加了社區大學的「月琴班」。

　　月琴老師年約四十多歲，長得「仙風道骨」的樣子。第一節先上共同課，老師幫我們講解月琴的歷史、構造與彈唱技巧等，讓我們對月琴有了基本認識。原來月琴早在一千多年前的唐代就已發明了，它是由一種叫「阮」的樂器演變而來，由於其形圓似月，聲如琴，故取名月琴。月琴的構造分成三部分，即音箱、琴頸、弦。古代的月琴琴頸較短，為了讓音域更寬廣，彈唱更自如，八十年代後才改為如今較長的樣子。

三鶯社大期末月琴表演

　　月琴以前也有「乞丐琴」的稱號，因為早期台灣民生較貧困，很多乞丐都是揹著一把月琴，一邊乞討一邊彈唱，故以得名。但如今民生

富足，前來學習月琴者都是一些學校老師或公務員等中產階級，月琴已成為高級品的代名詞了。

　　第二節課，老師從七個音階在琴的哪個位置開始教起，再練彈簡單的歌曲如「小蜜蜂」、「小星星」、「春神來了」等。每個人都練得十分認真。老師說學月琴課堂上僅是教授一個方法，至於歌曲要熟練，還是要自己回家苦練，沒有其他捷徑。

　　學了幾節課，對於月琴的音階都摸熟了，彈起來也漸入佳境。於是老師又教了幾條民謠老歌，如「望春風」、「青蚵仔嫂」、「五更鼓」、「平埔調」等，每一首都很好聽，但要練到彈唱自如確實不簡單。一學期半年的課程就這樣結束了。

　　第二學期，老師繼續教了幾條彈唱起來更複雜的歌曲，如「思想起」、「菅芒花」、「勸世歌」、「寶島曼波」等。而彈弦方法也由第一學期以撥片撥弦，改為以手指操作，即以食指及中指分撥上下兩條弦。兩種彈法，各有特色，前一種彈法音色較響亮，適合在大眾面前彈唱；後一種方法則適合隨性自彈自唱。而老師說還有一種「輪指法」，是以姆指及食指分別撥挑上下兩條弦，再以其餘三指輪流劃過兩條弦，造成繁複的配音效果。當然，月琴的彈奏過程還有很多變化的指法以製造如顫音、抖音、連音等，讓歌曲達到哀怨、空靈或清快的效果。看起來，月琴雖然只有兩條弦（也有三、四弦的），但要練到彈唱自如，悅耳動聽，不花個三年、五年工夫是做不到的。

　　學了近一年的月琴，除了課堂上老師教的十幾首歌曲外，我自己也從歌本上選了一些喜愛的歌曲練習。雖然不敢

說每一條都能熟練的彈唱自如，但基本上再練一下就能上得了「台面」。

　　想想這一年來，由於學習月琴，讓我的退休生活變得豐富、多采，真應該感謝社大，感謝老師！

　　　　　　　　　　（『郵人天地』月刊）

鄭碧芳國畫作品

懷念爆米香

日前騎機車經過小鎮街上，突然聽到一聲爆炸巨響，嚇了一跳。仔細一看，原來是路旁有人在賣爆米香，聲響就是由賣爆米香者操作機器發出的。這讓我憶起小時候的一些往事。

小時候家中甚為窮困，父母務農，家中食指浩繁，能有正餐三餐吃就不錯了，想吃零食基本上是自己想辦法，要想從父母口袋掏錢幾乎是不可能。那時候我們的「零食」幾乎是取之「大自然」，大自然的零食無非是一些芭樂、小野果、蕃薯、玉米、花生、甘蔗之類，這些東西有些是野生，有些有人種植，那時鄉下地方，到處都是農作物，摘些果腹，一般農戶即使發現，頂多罵幾句。

然而有些零食是沒錢吃不到的，像夏天有小販踩著一輛腳踏車，車後載著冰桶，桶裡一枝枝

好吃的冰棍，那是沒錢吃不到的。此時想吃，只能趕緊跑回家中，纏著父母給錢。假如父母不給，那就只能哭喪著臉，看著別人一臉滿足的一口一口舔著好吃的冰棍。

　　每隔兩三個月，小村裡固定地點，總會有一輛賣爆米香的三輪車開來，然後四處吆喝，一會兒就有家長被小孩纏著前來。那時候好像可以向小販購買已爆好的，也可以自己從家中帶米前來請小販代爆。當小販生火啟動機器，看著米粒在鐵籠子裡遇熱快速不停轉動，不到一刻鐘，小販會喊快爆了，圍觀的小孩趕緊摀住耳朵，躲得遠遠的，既期待又怕被傷害。爆聲響後小販將爆好的米香倒出放在鍋裡，淋上糖漿攪拌，再倒出於四方型的框裡，待其稍為凝固，即用刀切成一片一片，如此即大功告成。眼看著一家家小孩滿足的吃著剛爆好的爆米香，而我只能在旁邊流口水，因為父母都在田間忙著，「沒有空」前來「交關」（台語「購買」）。

　　隨著時代進步與社會發展，如今的小孩大都早就享受過各式各樣的零食，爆米香對他們來說，或許一點誘惑力也沒有。然而我還是很懷念童年時的「爆米香」，那種情景是再也回不去了。

（『中華日報』副刊）

婚禮的祝福

今年9月某日晚餐時，一向很少開口說話的吾兒，突然告訴我們倆老說：「我打算年底前結婚，你們明年可能要抱孫子了！」讓我倆嚇了一跳，不覺又驚又喜。

吾兒民國六十六年年底生，今年歲數已經不小了，從四、五年前我們倆老就為他的婚事而焦急，經人介紹幾位姑娘相親，總是沒有結果，讓我們相當煩惱。小孩子長大了，又不能老唸他，只能假裝冷靜。私底下她媽媽經常煩惱得睡不著覺，大廟小廟諸天神明菩薩也不知祈求過了幾回？

中秋節，吾兒帶了他從網路認識的女朋友來我家，我們總算見面了，一面吃晚餐一面交談中，知道她家住屏東縣，她在北部讀完大學及研究所後，就一直留在北部工作。父母經營畜牧業，家中共有四個兄弟姐妹，她排行老三，也是尚未婚配者。她自爆：「近幾年每次回屏東老家都被父母唸。」她僅小吾兒三歲，我心想：「兩個真是『大器晚成』的一對寶啊！」

吾兒女友個子不算高，臉蛋也不算頂漂亮，但或許已久經職場的人生歷練，相對健談，笑臉盈盈，為我家帶來了難得的歡樂氣氛。我感到滿意，吾兒他媽就更不用說了，早已視為未來的媳婦。

101 的愛情

中秋節過後幾日，適逢雙十國慶連假，由吾兒開車載了我們倆老及住台南西港的外公，四人南下屏東吾兒女友家，會晤她的雙親。未來的親家親母比我們夫婦年輕些，都是「古意」人。大家相談甚歡，互相取得共識，盡早為一對男女完成婚姻大事。

經過 12 月初簡單隆重的訂婚手續，忙碌又忙碌之後，今天（2016 年 1 月 9 日）總算舉行正式的婚禮了。由於我們夫婦生性淡泊，不喜歡驚動大家，故婚禮決定簡化，僅請一些至親好友前來觀禮、見證。也非常感謝大家百忙之中，撥空前來參加，給予這對新人祝福。

最後僅以一首七言小詩送予這對新人：

「今日歡喜共攜手，喜氣洋洋紅毯走；
　人生短短幾十秋，但願相守到白頭。」

（『中華日報』副刊）

二胡學習記

　　三年前自郵政機構退休後，有較多時間利用，本著活到老學到老的精神，積極參加一些社團活動。先前曾至三鶯社大報名參加「經絡鬆筋與養生文化」、「月琴與台灣民謠彈唱」兩個班，分別學習了一段時間。去年又想學習點新的東西，經過一番選擇之後，最後報名參加了「二胡班」，不知不覺學習二胡也已將近一年，以下且略述學習心得。

　　二胡的歷史源遠流長，據考證從我國唐朝時就有了，至今已有千餘年歷史。二胡最早是由北方的少數民族胡人發明，故二胡又稱胡琴。由於它是藉著兩條絲弦以弓弦拉動發聲，故又稱二胡。隨著時代演變，樂器的不斷改良，如今也有稱南胡、南琴、高胡、板胡、京胡等等，總之名稱多源，不一而足。

二胡教室上課情形

　　學習二胡首先需要擁一把琴，琴的價格依其材質的

不同，差異也很大。有一把三、五千元的，也有一把三、五萬元的，據說最貴的也有一把一、二十萬元，令人咋舌。由於是初學，最後我買了一把萬餘元的琴，算是中等價位。

開始上課了，老師說二胡不像吉他、月琴、烏克麗麗等有固定的音階，完全要靠自己摸索，手感至為重要。老師先教我們大致 DoReMi 等音符在兩條弦上的位置，然後靠自己回家不斷苦練，所謂熟能生巧，練久了音符的掌握就八九不離十。學了幾堂課，大致學會了音符掌握及握把、拉弓等技巧，於是老師就教我們一些簡單的二胡歌曲，如「田園春色」、「山村初曉」、「搖籃曲」、「可愛的家」等。同學們都學得很有興趣。一學期就這樣轉眼過了。

第二個學期開始，老師教我們「換把」的技巧，懂得如何換把，則左手壓弦的手指可在兩條弦上下任意游走，能拉出音域更廣的歌曲。除了「換把」的技巧外，如何掌握歌曲節拍，以及各種滑音、顫音、頓音、連音等弓法的運用，更是一首歌曲拉出來是否動聽的關鍵。總之，不學不知道，學了才知道看似簡單的二胡樂器，卻有這麼多學問。看來想要變成二胡達人，非下個三五年工夫苦練不可。

自從學會拉胡琴後，每天我總要利用時間拉它個把小時，複息舊的功課，也從教材上選些較熟悉的歌曲練習。每當一首陌生的歌曲，經過自己幾天反複練習，而拉得得心應手，那種滿足與喜悅感真非筆墨所能形容。希望更加努力學習，往後除了自娛外，也能站上舞台，拉胡琴以娛人。

（『新文壇』季刊）

輯三　　窗外風景

楊麗芬國畫作品

窗外的風景

窗外的風景，如此的亮麗，讓我一再睜大了眼睛。

先是一隻白頭翁飛來，在陽台的水泥牆上尋尋覓覓，不停跳動著，最後停在一顆奇石上。這顆奇石是我多年前從石店買回，石中間有一頗深的凹洞，我將它盛水擺在陽台的水泥牆上，每天我都要給它加水並觀賞一番。

白頭翁站在這顆奇石上，小心的左看看右看看，感覺安

全的，於是放心的將頭伸進石中去喝水，一次兩次三次……，終於喝足了，整理一下身體羽毛，然後滿意的伸展翅膀，一溜煙的飛走了。

或許是取水方便，或許是石中水甘甜，從此這隻白頭翁總是經常飛來喝水，每次牠來，我和妻總是悄悄地隱身於窗簾後面，觀察牠的一舉一動，深怕驚擾了這位不速之客。

我們早已視牠為老朋友，每日早上我總是迫不及待的到陽台去添加石中水，然後坐在靠窗的電腦旁，一邊敲打著電腦鍵盤，一邊期待著牠的光臨。

或許是鳥類也有牠們的語言，會互相通報。最近幾日，我發現經常有其他的白頭翁鳥光臨，甚至有時一次還來了兩隻。牠們一邊喝水，一邊嘰嘰喳喳的相互交談，狀似親密，或許牠們是一對恩愛夫妻吧！不只白頭翁，麻雀也經常光臨，牠們一隻兩隻三隻，灰褐色的身軀，閃亮晶瑩的雙眸，不停的滴溜溜轉動著。夏季氣溫炎熱，有時牠們喝足了水，甚至還不願飛走，在陽台的盆栽上小憩或不停跳動著東瞧瞧西看看，直到感覺任何風吹草動，才一溜煙的跑了。

窗外的風景，如此的亮麗，讓我每天總是滿懷希望的期待著！

（『中華日報』副刊）

明華園歌仔戲觀後記

　　明華園歌仔戲是國內近十數年來少數僅存的歌仔戲團之一，其演出往往萬人空巷，真有那麼好看嗎？筆者雖內心存疑但也極想親眼目睹，一窺究竟。但幾次機會總因時空距離之故而錯過，甚感遺憾。

　　日前，妻從菜市場回來，告訴我一個消息：

　　「聽說明華園歌仔戲團，明天晚上要到聖天宮廣場演出……」

　　「真的嗎？妳怎麼知道？」我趕緊再確定一下。

　　「明天是關聖帝君的誕辰，我聽菜市場的人說的……」妻答。

　　聖天宮是一座大型鐵皮屋廟宇，前兩年才搭建完成，其供奉的主神是關公。廟就建在大馬路旁，離我家僅約兩公里遠的距離。

　　「真的太好了，此次我一定要前往觀賞……」我內心暗下決定。

　　為了確認演出的真實性與正確演出時間，第二天下午四點多我即騎著機車前往一探究竟。抵達時但見廟埕左側大型舞台早已搭好。廟埕內外人潮洶湧，有人忙著在廟內捻香拜拜，有人圍觀在廟廣場四周，看著大型神偶表演。而衝天炮

隨著廣場表演節奏不時鳴放，整個廟宇充滿著年節歡樂的氣氛。

　　我隨意的在廟內外走了一圈，看到廟門口一個大型立板，上面寫著公演開始時間——晚上七點正。看了看錶，還有一個多鐘頭，不妨先回家吃飯洗個澡再來，因為天氣實在太熱了。

晚上近七點，當我再次騎機車抵達時，只見廣場上早已坐滿了人，人手一隻扇子搖著。估計約有上千人吧！我趕緊拉椅子找一個空位坐下。七時許左側大型舞台終於徐徐開啟。先是主持人請幾位大廟負責人及民意代表致詞，接著公演正式開始。先來一段「排仙」，由歌仔戲演員扮各路線神仙說些祝福的吉祥話，並向台下拋灑糖果餅乾壽桃祝福大家。緊接著正戲開始，今天的戲目是：薛丁山征西。

　　公演由晚上七時半正式開始，至近十時結束，約兩個多鐘頭。筆者先是坐在離舞台約三十多公尺的右側觀賞，後來因陸續前來觀賞的站立民眾太多擋住視線，不得不轉移陣地，最後乾脆也站著四處走動觀賞。整整兩個多小時，筆者

觀察，甚少有人中途離席。反而在表演期間，不斷有路過民眾停車加入，最後簡直把整個廟埕幾乎都快要擠爆了。

明華園歌仔戲團為何有如此魅力，讓這麼多人願犧牲在家中舒服的坐在沙發椅上看電視不為，而願擠在此共襄盛舉？揆其原因，筆者分析，大約有以下三點：

一、**當家小生孫翠鳳的魅力**：孫翠鳳經常出現在電視螢幕，不論是演戲或接受專訪以及拍公益廣告，其形象都是正面、和藹可親，贏得大家的喜愛。而她由當初一個嫁到歌仔戲世家的外省媳婦，對歌仔戲完全不懂，憑著不斷努力學習苦練，歷經十多年後終成當家花旦，其本身就是一種傳奇，值得大家敬佩與學習。無怪乎她領軍的歌仔戲團，無論走到哪裡都是人潮洶湧。

二、**演員陣容龐大，演技精彩到味**：明華園演出一團至少幾十人，陣容龐大。演出時無論生、旦、淨、末、丑角，每位都是真功夫的精彩表演，而非一般的花拳袖腿。一般歌仔戲團演出時總是在台上拖拖拉拉，容易讓台下觀眾厭煩，明華園歌仔戲團則改進此缺點，節奏加快，另配上布幕場景更換迅速，特技效果及兩邊大型電動看板字幕等等，都讓台下觀眾容易進入「戲況」，而不容易中途離席。

三、**諧星對話有趣，引發台下共鳴**：諧星是一齣戲中的開心果，其動作與對話若有趣，將加強整齣戲的可看性。「薛丁山征西」一劇中，諧星的動作與對話正是如此。茲舉二例說明：其一，戲中有一位年僅三、四歲的小小演員也上台演出，十分可愛。他一出場即贏得台下人家興趣，而此時聽台上演員怎麼對話。丑角問旦角：「這是妳的什麼人？」旦角：

「我的兒子。」丑角：「這麼小就會演歌仔戲，將來肯定賺大錢！」適時說出大家的心聲，引來台下人人會心一笑。其二，戲演到某個橋段，旦角因中計被害眼睛暫時瞎了，為逃避壞人追殺，由丑角以枴杖引路欲「逃離長安城」。逃了半天，旦角氣喘噓噓的問丑角，目前已逃到哪裡了？丑角說：「還在鶯歌（演戲的鄉鎮）！」這種無厘頭的時空轉換，令台下觀眾既爆笑又有親切感。

當然，明華園歌仔戲之所以能稱霸台灣歌仔戲界幾十年而不墜，甚至還曾應邀到國外表演，其原因當不止上述三項。期待明華園百尺寸竿頭，更進一步，成為「台灣之光」。

（『新文壇』季刊）

爬椰子樹的人

　　他，是一位爬椰子樹的人。

　　身子長得結實精壯，身高不長不矮，戴一副斯文眼鏡，年約四十出頭。

　　早晨約十點多，他開了一輛小發財車來到岳父位於台南西港的家。岳父家附近農地種了約有二、三十株的椰子樹，由於樹齡都已長達二十年以上，每株樹身約有三層樓高。已經不知幾年了，我們只能望樹興嘆，因為早已沒有夠長的梯子，讓我們能攀爬摘到它們高高在上的果實。岳父不知從哪裡打聽到有這號人物，專門幫人高空採摘椰果，於是打電話聯繫。今天，他是再度光臨我們這個地方。

　　停妥了小發財車，這位姓林的摘果人和岳父小聊了一會兒，旋即整備行裝。首先脫掉腳上的平底鞋，換上一雙特製

的釘鞋。然後腰繫一條鐵鍊及割刀，肩上揹了一條長繩。來到椰樹旁，只見他雙手環抱樹身，雙腳隨即踩上樹幹一步步往上爬。大約不到一分鐘光景，像猴子般他已爬上約三層樓高的椰子樹上。此時只見他將腰間的鐵鍊環懸住樹幹，用以支撐身體，再拿出腰間的割刀，開始割取一串串的椰果。就在椰果整串即將掉落，他又適時以身揹的長繩，長繩上的兩端各綁有一個鐵鉤子鉤住，讓整串重達數十斤的椰果緩緩墜地。如此來回幾次，約莫十來分鐘，即將整株的椰果採摘乾淨。當然在採摘的同時，他也不忘用手上的割刀，順手將樹身上的一些枯枝、蔓藤等清除乾淨，以讓椰樹看起來更精神些。

三十多株椰子樹，林嗓大約用了不到四個鐘頭即將所有的椰果摘除完畢。利用在樹下整理果實的機會，我趨前和他攀談。

首先詢問他從何處來？

「我家住雲林縣，四處幫人摘果已有十餘年了，摘果的範圍遍及南台灣各縣市，偶爾也遠征至台東縣呢！」

「採摘下來的果實如何處理？」

「我沒有店面，絕大部分都是自己用車載到菜市場或是各大路口販賣，利潤嘛還好啦，早年若載到北部的一些路口很好賣，但就怕警察會開單子……」

「當初是怎樣學會這項技術的？」

「曾經拜師學藝，然後自己再不斷琢磨改進……」

「爬那麼高，只用那麼一點點輔具，難到不會害怕嗎？有沒有發生危險的情況？」我續問。他笑笑的說：

　　「臨場只能靠自己膽大心細，不能有萬一，否則可能就從此『再見』了。高空摘果時，有時會碰到藏在樹上的長蟲或蜜蜂，那時就只能靠自己鎮定，長蟲嘛一把抓住，至於蜜蜂有時可能就要挨上幾口，反正痛不死人……對了，早上我還在一株樹上抓住到一條蛇呢！」

　　下午四時許，林嗓終於將所有摘下來的果實整理完畢並一一搬上了發財車。望著整車堆得滿滿的椰果，估計約有兩千斤左右，林嗓及岳父都面露滿意的微笑。

　　小發財車引擎啟動了，車子緩緩開走，站在椰子樹底下我和林嗓揮了揮手，歡迎他下次再來。

　　　　　　　　　　　　　　　　（『中華日報』副刊）

送暖天使

　　這最後一趟的歸鄉路，竟然走得如此辛苦，整整四年多的時間，我終於又啟程了，由寶島台灣，返回我的四川老家。

　　老家位於四川南部的一個偏鄉小鎮。必須先搭機到成都，再轉搭兩趟巴士，約三個多小時才能抵達。先前，我已多次返回，熟門熟路。

　　我的老妻十多年前早已過世。老家僅剩下一位兒子，和他的媳婦、孫兒。兒子智祥今年也已六十好幾，他們一家很熱情的歡迎我。每次返鄉，他們一家總是噓寒問暖，對我照顧無微不至。也經常帶我到家鄉四處走走，拜會一些親戚朋友。幾十年來家鄉的變化真大，和我小時候的記憶已無法連結，令人感嘆、感慨！

　　距離老家約一公里遠有一個公車站，當年我就是由此搭車離開家鄉，遠赴武漢從軍抗日，原以為三兩年即可返家，想不到抗日勝利後繼之以匪患，大局勢對國軍不利，部隊一路轉進，最後渡海來台，我成為千千萬萬個有家歸不得的遊子。那時，只能每日空對台灣海峽哭喊，度過無數個無眠的漫漫長夜！

　　在軍中待了十多個年頭，後來我因身體緣故解職退伍。由於識字不多，在社會上謀生不易，這幾十年來我都從事社

會底層的工作，諸如開路工人、賣麵、從事環保回收等工作。在寶島這幾十年來，由於生活艱困，我也一直未另娶妻生子，只期盼兩岸早日開放探親，我能返回故鄉，和妻、子一家再團員。

在翹首等待了將近四十年後，當我已由一位身強力壯的年輕人，變成鬢髮皆白的老者，終於等到開放探親的消息。再經過一年多的書信往返，我大抵知道故鄉的一些近況，熬不住思鄉之苦，我終於毅然踏上了返鄉之路。

首次踏上返鄉之路，輾轉經由香港轉機，當搭乘的南航飛機即將降落成都雙流機場時，我有些近鄉情怯。幸喜我唯一的兒子智祥帶著妻、女到機場出口接我。當相互見面的一剎那，我百感交集，流下了激動的淚水。智祥一家帶著我一路舟車勞頓返家，當抵達故鄉時，鄉裡的幹部組織了數十位鄉親盛大歡迎我。緊接著就是一攤又一攤的餐宴，令我簡直應接不暇。

第一次返鄉探親，我給了我唯一的兒子智祥一筆錢，讓他整修父母的墳墓及居住的房子，兒子一家都對我十分感激。

此後每隔兩三年我總要返鄉一趟，故鄉近十多年來的變化可真大，高樓大廈一棟又一棟蓋起，馬路街道也開闢得又寬又大。俗語說：「要致富，先開路。」故鄉的鄉親如今人人致富，生活水準普遍提高，令人高興。

每次扛著大包小包，由寶島搭機返回故鄉，兒子智祥總會勸我說：

「阿爸，您乾脆搬回來定居吧！您在台灣也沒什麼親人，年紀也都八十好幾了，何必那麼辛苦折磨，我怕哪天您

會受不了……」

「是啊！是啊！我也有這個打算。待我將台灣那邊的事情處理妥當，就搬回來和你們一家居住。」

每次我總是如此安慰著我那孝順的兒子。雖然我目前感覺身子尚硬朗，但落葉歸根，這條路總是要走。只是在寶島生活了幾十年，早已習慣了那裡的生活模式，要搬回來定居，確實一下子下不了決心。何況那裡還有很多老戰友、同袍、長官，平日大家互有連繫，要離開他們，也令人十分不捨……

豈知天有不測風雲，就在我剛度過八十四歲生日的一星期後，某日午夜，正當萬籟俱寂時，我的心絞痛之症又發作了。我想起床拿藥，請隔鄰的同袍老李幫我送醫，但一切都已來不及了。我虛弱得無法起床，也幾乎叫不出聲音。就這樣拖了一個多小時，我的身體再也無法支撐，一縷孤魂脫離身體。我死了，悲哀啊悲哀！心肌梗塞的老毛病奪走了我的老命，在這三更半夜裡，竟然沒有人知曉。

第二天早上，隔鄰的老戰友老李，見我直到快中午了尚不見動靜，敲門也無回應，感覺有異。立即通報大樓管理員及縣裡的退輔單位長官前來，共同撬開大門，才發現我已魂歸離恨天。此後幾日，大家手忙腳亂的幫我處理後事。公祭之後，我的身子被送入火葬場。一場無情大火將我的身子焚燒成一堆骨灰，裝入一個骨灰罈子裡，被送進鄰鎮的一個國軍忠靈塔暫存。悲哀啊悲哀，這一切的一切，我遠在幾千公里外的四川老家孝順的兒子智祥，一點都不知道。幾個月後，他一直沒有接到我的訊息，感覺有異，寫信到我生前租住的房子詢問，也沒有人理他給予回信，至使他焦急萬分，如熱

鍋上的螞蟻？

．

一封航空信從遙遠的海峽彼岸寄來，如今躺在廖化的書桌上。廖化用剪刀小心的剪開，徐徐拿出信紙仔細閱讀，讀後不禁蹙緊了眉頭，陷入沉思……

廖化是台灣北部一家文學期刊的主編。這本期刊的作者來自兩岸四地及全世界各地的華人。廖化主編這本期刊已有十多年了，可說駕輕就熟。不過此次他拆閱的，不是一封稿件，而是一封請託信，信中是如此寫的：

「十分冒昧寫此信打擾廖主編，我是貴刊的作者之一……」

「我叫傅智祥，我的父親傅x，家住台北縣汐止鎮某路某號。原本他一兩個月會給我一封信，說說他的近況。但自從今年三月以後再也沒有他的消息，寫了幾封信到他住的地址，都不見回信，我們全家焦急萬分……」

「可否請求您代我們跑一趟汐止，查一查他的近況，給我們答覆，您的大恩大德，我們全家會一輩子感激您的……」

「由於在於台灣除了因投稿關係認識您，再也沒有認識其他親戚朋友，故不得不拜託您……」

這的確是一件十分棘手的事，主編廖化看完了信不禁陷入了沉思。幫或不幫？幫，但自己除了編務繁忙外，每日還要上班工作。哪有餘力？又考量，此例一開，可能沒完成沒了。不幫，則這位文友信中寫得如此誠懇、無奈，視你為救命的仙草一根，又怎能將「拒絕」兩字說出口，壞了兩岸同胞互助的友誼？經過反覆考量再三，廖化終於回信，表示利

用星期假日再親自開車前往一探究竟！

　　果然，某個星期假日，廖化親自開車前往汐止，按照地圖指示終於找到了智祥文友老父的住處。按了電鈴許久，始終無人接聽。無奈之下向附近的左鄰右舍打聽，才知道事情的原委。返家後趕緊修書一封，告知四川的文友智祥。不久智祥又來了第二封信，信中如此寫道：

　　「非常感激您的大力幫忙，使我們獲悉老父已亡故的消息。我已向縣裡的退輔單位查詢過，我老父生前留有一些遺產、股票，這些繼承手續，以及我老父骨灰的領回及我去台奔喪等問題，都還得仰賴兄幫忙，希望您能接受當我在台的代理人……」

　　廖化看完了信，簡直頭皮包發麻。幫吧！如此沒完成沒了，且自己對一些相關機構與承辦手續完全陌生，如何幫起？不幫吧，頭已開始洗了，要說「拒絕」，更加開不了口。

　　經過再三考慮，廖化還是咬牙答應了。此後三年多的時間裡，廖化利用各種休假日，不斷奔忙於各種機構，諸如海基會、地方法院、戶證事務所、入出境管理局、地方警局、退輔會等，這些機構從不知道在什麼地方，到熟得像走廚房般。終於各項手續都辦妥了，智祥能夠來台奔喪，領取老父的骨灰罈回去安葬，但因經濟等問題，最終智祥沒有在規定的期間來台，令人遺憾！

　　這最後一趟的返鄉路，是如此的艱難，足足等待了四年多，如今我總算又啟程要返回故鄉了。

　　此行陪伴我返鄉的是一位年約五十多歲的中年人。我並不認識他，一路上我們倆人始終默默無言。但我可感覺他是

一位值得信賴的文人。從台灣桃園機場起飛，香港轉機，抵

達重慶。沿途他始終小心翼翼的陪伴著我呵護著我，使我不會感到孤獨、害怕。對了，聽說這位叫廖化的中年人，此次是利用來重慶開會之便，順便帶我返鄉，真的讓我不知要如何感激他才好！

　　晚上八時許，飛機終於抵達重慶江北機場，好不容易出了關。我一眼就瞧見我那孝順的兒子，在出口處焦急的等待。一會兒他也看到了廖化和我，十分慎重的從他廖化手中接過了我，他請廖化站立原地不動，雙手捧著我向廖化行三鞠躬禮，然後包了一個大紅包給廖化。接著就走出機場，攔了一輛的士，連夜趕回兩百多公里遠的故鄉老家。

　　如今我已安然的住進離老家不遠的一座納骨塔內。每逢清明或過年過節，我那孝順的智祥兒子一家人，總是準時前來向我祭拜、請安，我感到十分滿足。落葉歸根，我安然的躺在生我育我的故鄉的土地，夫復何求？

　　而最感謝的還是帶我返鄉的那位中年文人、主編廖化，要不是他三年多來持續無私的給予我和我兒子的資助，我可能目前還流落異鄉呢。找真誠的祝福他，他真是兩岸最佳的送暖天使呀！　　　　　　　（山西『鳳梅人』報）

愛心小蕃茄

愛心小蕃茄，飽滿甜蜜又多汁，凡是吃到的朋友，各個莫不豎起大姆指，連連說：「讚啦！」、「好吃！」。

愛心小蕃茄是由岳父所種。岳父今年已八十多歲了，由於岳母早逝，子女也早已各自嫁娶，出外謀生，故自十多年前岳父即已單身一人居住在此，南台灣鄉下的一大片魚塭地。十多年前岳父剛搬來時，猶野心勃勃，一個人養好幾口虱目魚池。隨著年紀增長，體力不堪負荷，多年前已不再養魚。魚池改種荷花，或任其荒廢。岳父每天的工作改為幫居家四週的花木澆澆水，以及照顧一些果樹的生長。

大約半年前，岳父偶然機會到種苗行購得三十餘株蕃茄幼苗，他即開始種植蕃茄。南台灣氣候適宜，加上他每天澆水、施肥，照顧得宜，蕃茄幼苗長得十分迅速，才兩、三個月已長得一個成人高度，枝幹上結滿累累的果實。一粒粒約姆指大小的小蕃茄，逐漸由綠轉紅，成串成串的掛在枝椏上，像一顆顆紅鑽石般的可愛。此時岳父的工作，除了每天仍然悉心照顧外，就是要將枝頭紅透的小紅鑽石採摘下來。採摘下來的這些小紅鑽石如何處理呢？除了一小部分留著自己食用外，其餘皆轉送給子女及少數親朋好友。

我們的家和小舅子的家都在北部，每個星期小舅子千里

迢迢開車返回南部，除了探視爸爸，幫忙處理些較粗重的工作，另一項任務就是要拿回他採摘的小蕃茄以及其他果實來給我們。一大袋滿滿的紅鑽石般可愛的小蕃茄，上面佈滿老父親辛苦的汗水，以及滿滿的愛心，每次收到都令人好感動！可是這些小紅鑽石實在太多了，我們全家消化不了，就將一部分轉送給左鄰右舍、親朋好友，只要收到餽贈的人，大家品嚐後莫不豎起大姆指，連連說：「讚啦！」、「好吃！」。

　　大約每隔一、兩個月，我們夫婦也利用休假日，開車返回南部，陪陪他老人家。老人家只要知道我們何時要返家，總是將一些可以採摘的果實留給我們，讓我們也親身體驗一下採收的樂趣。最近一次今年的五月母親節我們返回，就前往蕃茄園採摘了一大水桶他辛苦種植出來的「愛心」。那種快樂，那種親情的溫摯，是任何言語也無法詮釋的啊！

（『中華日報』副刊）

岳父薛良飛攝於家門口

尾牙的悲劇

又是一年即將過去，農曆年前的一個多星期，按照往例，某單位舉辦尾牙聚餐，以犒賞員工終年的辛勞。

聚餐地點選在市區內的某家海產餐廳，席開十桌，除了單位的員工踴躍參加外，主管還特地邀請幾位已退休的長官回來參加聚餐。現場氣氛當然是超 high 了，只見相互敬酒新年快樂之聲不絕。

餐宴由下午七時開始，將近兩個小時下來，大家酒足飯飽，紛紛離席乘車返家。惟獨其中一桌，幾位員工，意猶未盡，繼續留下來「打拚」。只聽猜拳吆喝聲不絕，大家臉頰泛紅，興奮異常。

然而所謂天下哪有不散的宴席，晚上近十時，大家紛紛做鳥獸散。阿佳是其中一位，當他帶著酒意前往附近停車場，找到自己的汽車，發動、拉排檔，汽車剛剛開動不到二十公尺，猶未駛離停車場呢！突聞哨笛聲大作，四周黑暗處衝出幾位彪形大漢，其中一位手中拿著一根螢光棒揮舞著示意他下車。這到底是怎麼回事？阿佳趕緊腳踩煞車，打開車門了解狀況。

「臨檢，臨檢，來，下車，請你在這根管子上吹一下！」其中一位穿制服的員警，等阿佳下車後，臉色嚴肅的拿著一

台小機器，請阿佳「配合一下」。

「喔！○、六，超標不少呢。請把行照、駕照拿出來我看一下。」另一位在旁戒備的員警，看了一下機器的顯示數字，一副面有得色的請阿佳拿出他的證件來。

現場氣氛有點凝窒，兩位正待離去的同仁趕緊前來了解狀況、幫忙求情，然而一切無效，不一會兒，一張酒駕三萬六千元的罰單遞給了阿佳，請他在單子上簽字，同時員警告訴他，吊扣駕照一年。

「怎麼會這麼倒楣呢！怎麼會這麼倒楣呢！」手裡拿著那張鮮紅色的單子，阿佳的酒意全消，代之而起的是一股茫然與懊惱。

原來農曆年前這段期間，各公司機構紛紛舉辦尾牙，警察機關也磨拳擦掌在各地路口積極攔查酒駕。阿佳他們這一桌，過了晚上九點半還沒結束，且划拳大聲喧嘩，早已引起正四處攔查警方的注意，幾位警力早已預先埋藏在停車場附近黑暗處，等待「大魚入鉤」。

而阿佳很倒楣的正是這尾「大魚」。

（『郵人天地』月刊）

認真的女人最美

認真的女人最美，這是一句廣告詞，然而也確實反應了女人心態，以下有一個案例，試且說明。

碧芳是妻的一位畫友，由於人長得嬌小，又打扮入時合宜，故我一直以為她和妻的年齡相仿，約在五、六十歲之間，豈知某次閒聊中，妻告訴我說：「碧芳啊！她今年已經七十多歲了……」著實令我嚇了一跳，女人的年齡確實是一個不可問不可說的秘密啊！

不過碧芳個人倒從不掩飾自己的真實年齡。某次在台北捷運車上，她坐於博愛座上，不久一位看似六、七十歲的「阿公」上車，站在她的旁邊一會兒，忍不住對她說：「這位女士，請尊重老人家，讓讓座吧！」碧芳一聽，不疾不徐從皮包裡拿出敬老證件，對著「阿公」說：「要不要看看，我今年已經七十好幾了，難道還沒有資格坐博愛座嗎？」一時令這位「阿公」十分尷尬，趕緊無趣的走到別的車廂去。據說碧芳講這個「笑話」給包括我太太在內的幾位畫友聽，大家都笑彎了腰。

由於老公早逝並留下大筆財產，兼且一雙兒女都已長大搬離住所，故碧芳早已一個人住在一間大公寓多年。為了排遣生活的寂寞與無聊，她共參加幾個畫會，並經常出國旅行，

日子過得忙碌且充實。

某次，她的身體出現狀況，生病了。幾位畫友勸她不妨去大醫院做一次身體檢查，比較安心。豈知碧芳卻說：「我從不做身體檢查，萬一檢查出有甚麼癌症之類的，我豈不整天擔憂害怕，而沒有心情像現在這樣每天快樂生活……哪天倒了就走了唄，無牽無掛的……」

大家雖不太能同意她的想法，不過卻也難以反駁。

確實，認真生活的女人最美。難怪碧芳今年七十好幾了，卻一點也看不出老態，我還想要向她學習哩！

（『新文壇』季刊）

認真生活的女人鄭碧芳攝於東歐旅次

罹癌之後

　　罹癌之後，她才真正感受到人間的溫暖。

　　遠的、近的，不論是朋友還是親戚，紛紛獻上關懷與問候，有些知道她困境的，甚至主動包上大小紅包給予支援。而她最至親的父母及兩位妹妹，此時更紛紛放下手邊工作，全心全力照顧她，祈求她早日度過難關。

　　她，一位學歷不高但對文學充滿憧憬並苦苦追求的中年失婚女子，曾經有近十年光陰，身邊帶著一個幼子，為生活而四處漂泊，經常過著煮字療飢熬夜的日子。她曾經有怨，怨老天對她的不公，怨那段短暫不順遂的婚姻，怨身邊這個帶給她生活沉重負擔的孩子……

　　直到那一天，她感覺胸部一陣劇痛，即刻到醫院檢查，啊！她這麼一位不幸的女子，竟然中了「大獎」——乳癌中期，若不立即開刀，生命恐將隨時不保。

　　經過了生死關頭的開刀割除、一次次的化療，以及親人無微不至的照顧，她終於逐漸從死神手裡撿回了生命，而她的人生觀也有了改變。

　　她感謝在病中無微不至照顧她的親人，惟有大難來時才真正見到親情的力量，今後她要為他們而好好活著。

　　她感謝很多很多的朋友，平常或許只是點頭之交，而在

她生命面臨磨難時，他們紛紛獻上鼓勵與祝福，給予她再次活下去的力量與勇氣。

「生命原來如此美好，我的周圍原來有這麼多親朋好友關心我、在乎我。往後碰到任何困難，我都有信心面對。」

「我要積極治療，坦然面對，把臉皮修得比城牆還厚，敞開胸懷，接納一顆顆赤熱的愛心，過好我每一天的生活。」

「因為有愛，我就有信心面對今後未知的風雨；因為有愛，我會把這場劫難變成財富。」

她在抗癌取得初步成果後，出版的一本散文集裡，有這樣坦然的敘述。

孟子曰：「天降大任於斯人也，必先苦其心志，勞其筋骨，餓其體膚，空乏其身，行拂亂其所為，所以動心忍性，曾益其所不能……」

謹在此祝福海峽彼岸的這位文友，妳的人生道路比別人坎坷，但相信妳在文學上的成就，也將高人一等。

（『新文壇』季刊）

日行一善心情好

　　日前開車載著一位大陸友人前往苗栗大湖鄉旅遊兼泡湯，當我們早上九點多抵達是晚住宿的旅館時，由於離約定載我們前往附近景點旅遊的交通車抵達時間尚有十餘分鐘，我們遂在旅館附近的小路走走，先了解一下周遭環境。

　　走著走著來到一條沿溪半壁山間小徑，初始還覺好走，及至中段竟有桂竹擋路，我們正待退出，卻見不遠前方有一小菜園，蔬菜鬱鬱蔥蔥。我們不覺跨過竹枝，一路往前來到菜園。

　　菜園僅有兩三畦，我們仔細欣賞完了生長茂盛的包心菜等，正待退出，發現菜園靠山壁處有幾個大儲水桶，桶裡竟有幾隻青蛙在水面上載浮載沉。顯然牠們被困在裡面已非短時間，因其中有一兩隻已經死亡，翻著白肚子飄浮在水面上。

　　這些青蛙為何會困在這裡？我觀察了一下地形，原來菜園主人為引導雨水進入水桶，在水桶靠山壁上方釘了幾個塑膠浪板，這些像溜滑梯般的板子，可能就是導至青蛙不慎跌進水桶裡的致命殺手。

　　俗謂：「救人一命，勝造七級浮圖。」這些奄奄一息的青蛙，雖非人命，但也是生靈，豈能見死不救？於是我趕緊打量周遭，看看有沒有拯救的工具。果然發現菜園旁放了一個

舀水的塑膠瓢子，於是我立即拿起瓢子，把牠們一一撈起，輕輕放於地上，讓牠們重新恢復自由。在三、四個儲水桶裡總共撈起了十餘隻。

這些甫獲自由的青蛙，初始還有些不習慣，也或許體力尚未恢復，竟呆立原地不動，直到過了幾分鐘才緩緩跳進附近草叢中。見到牠們消失的身影，我們兩人才鬆了一口氣，帶著愉悅的心情退出菜園。

或許是日行一善的緣故吧！那一天我們心情特別好，旅遊時見到的人、事、物甚至風景，都感覺特別美！旅遊結束前，司機載我們到甜柿專賣店及餅鋪品嚐，也感覺特別好吃。

（「新文壇」季刊）

作者與重慶西南大學新詩所副所長向天淵於苗栗山區合影

白鷺鷥

　　儘管從我們已從南部返回那麼多天了，但那群白鷺鷥的身影，仍然在我的腦海中盤旋不去。

　　十二月下旬，從台南探親後北返，由於時間充裕，我和妻決定捨平常開車的高速公路不走，臨時改由濱海公路北上，心想除了可以飽覽海岸風光，還可以順道小小旅遊一番。

　　車子由市區開出，不一會兒道路兩旁房子逐漸稀少，取而代之的是一大片一大片青翠的田野，田野上種滿了一畦畦的蔬菜、玉米、花卉等等，令人眼睛為之舒展。當然或許時值隆冬，也有很多土地上長滿萋萋野草，任其荒廢，殊為可惜。

　　就在我們忙於欣賞道路兩旁翠綠的風景時，突然一道更美麗的風景向我們迎面而來，我趕緊將車子停在路旁，招呼妻子下車觀賞。

　　在緊鄰公路旁的一塊田地上，一輛鬆土機正隆隆的來回作業著，而在它的周圍

竟擠滿了上百隻的白鷺鷥。牠們一隻隻正聚精會神的站立在剛扒梳過的泥土地上，兩眼緊盯著地面上，只要一發現任何動靜，立即用長長的嘴一啄，大概被從冬眠裡吵醒的地底小生物，沒有一隻能夠逃得出牠們的嘴上功夫。這些上百隻的白鷺大軍，估計牠們是從四面八方聞風而來，在這一大片空闊的田野上，只要某地有任何風吹草動，牠們會立即呼朋引伴而至，不會錯過任何一頓可以飽餐的機會。

　　觀賞了一會兒，妻不免有些擔心的問：

　　「你看牠們那麼多又靠機器那麼近，萬一被機器不小心碾到，豈不受傷甚至小命不保？」

　　「放心啦！牠們精靈得到很，我們觀賞了那麼久，也沒看到發生甚麼意外！」我順口回答著。其實我內心也正暗暗地為牠們擔憂呢！

　　就這樣我們頗感新鮮並饒有興趣的觀賞著這一幕十分「熱鬧」的場景。良久良久，直到隆隆的機器聲暫歇，我們才依依不捨地開車離開。

　　車子繼續往前行駛，不久上了濱海公路，但見沿途漁塭處處，水天一色的景緻，令人心曠神怡。而在水天之間，那一隻隻的白鷺鷥，或三五成群，或單一獨行，牠們或悠閒的緩緩飛翔在藍天中，或赤足走在漁田上尋尋覓覓，或佇立在枯枝上小憩。牠們的身影，在大自然中是如此的醒目，無不緊緊吸引我們的目光。

　　雖然從南台灣北返已有數日了，但那一幕幕動人的景像猶在我的腦海中盤旋。那一群白鷺鷥，美麗的的身影。

（『中華日報』副刊）

吃甘蔗渣的狗

　　狗會吃甘蔗渣，你信不信？而，那一天，我真是見識到了。不知該為牠悲哀、可憐，還是狠狠咒罵那位曾經養牠，如今卻棄之不顧的主人？

　　日前開車前往桃園縣復興鄉遊玩，車子開抵山上一處偏僻的路上，見路旁有一座簡陋的工寮，工寮大門敞開，寮內有數十盆盆栽，雖然似乎已乏人照顧多時，但有些花仍開得十分燦爛，遂下車進入觀賞。

　　正在仔細觀賞時，卻從工寮內跑出了一條長得十分瘦弱的黑狗，那條黑狗並不吠我，只是眼睛一直盯著我手上拿的東西，並不斷搖著尾巴，顯然十分飢餓的樣子。只是我手中拿的是一截削好的甘蔗呀！狗應該不吃甘蔗吧！想拿些別的東西餵食牠，只是車上除了一大包剛於半路上購買的甘蔗外，再也沒有其他食物，奈何？

　　我一面欣賞著盆栽，一面啃著甘蔗，順手將甘蔗渣丟往附近的草叢。只見那條黑狗迅速將甘蔗渣咬起，並狼吞虎嚥的吞了下去。不會吧！我眨了眨眼睛，狗怎麼會吃甘蔗渣？是不是我眼花了？遂再丟了一把，想不到那條狗仍然一一把它們吞了。有些丟到山溝裡的渣子，只見牠悻悻然的探頭望著。

　　我將手中一小根沒啃過的甘蔗丟到地上，只見牠迅速的咬起，嘴腳並用的津津有味的啃著，一會兒啃完了，又充滿期待的望著我。我只好到車上再拿出一根甘蔗和牠分享，如此兩根三根四根……

　　由於時間有限，在和這隻黑狗分享了幾根甘蔗後，即開車上路。只是沿路上，那隻瘦弱黑狗祈求的眼神，狼吞虎嚥甘蔗渣的表情，一直流連在我的腦海中，久久無法散去……

（泰國『華副園地』）

詩人畫家薛雲國畫作品

小黃的命運

　　小黃的命運，究竟是生？是死？我們一直無法瞭解，一顆心也始終懸念著。

　　小黃是我家飼養的一條超過十年的狗，當年是我參加某項踏青活動，在宜蘭縣的某條河床邊撿回。當時河床邊草地上約有十來隻剛出生不久的小狗狗，每隻都活潑好動可愛。小黃就是其中之一。由於牠長得最壯最可愛，且主動跑過來親我，於是我把牠抱起，置入一個袋內，帶回家中飼養。

　　小黃在我家住了十年，從小狗變成大狗，一直是忠心耿耿的守護著我們家園。看到我們家人，立即搖尾撒嬌示好，還主動跑向前來和我們親熱，但碰到陌生人走近我們的家園，她立即跑向前去狂吠，嚇走陌生人並提醒我們注意。平常無所事事，牠都是躺在庭院內的蔭涼處或車庫內的汽車底下休息。遇到我們有事喊牠，牠立即跑出來和我們親熱。

　　然而就在不久前，小黃卻出現了反

常現象，從未離家出走的牠，竟然好幾天讓我們找不到牠。正當大家感覺奇怪並猜疑時，在一個下雨天的清晨，牠竟冒雨跑回來了。小黃返家，大家知道後都很高興，我聞悉後也立即由家中趕到車庫內牠休息的角落去探視牠。或許由於多日未進食，牠的身體顯然瘦了一大圈，全身毛髮也濕漉漉顯得雜亂，看了令人心疼。我呼喚著牠，並伸手去摸摸牠的頭，牠仍像往常一樣，乖巧的讓我摸著。妻趕緊取些狗食給牠吃，想不到小黃卻不理不睬。我們覺得有些奇怪，仔細檢視牠的身體，才發現牠的屁股有一大片紅腫，且上面有白色蛆蟲附著，怎麼會這樣呢？小黃出走的這幾天，究竟去了哪裡？沒有人知道。

原本我們想把小黃送去獸醫院就醫，但因下著雨且小黃又極力抗拒著，躲到家中附近的草叢裡不出來，也就沒有積極進行。那晚，草叢裡隱隱傳來小黃的哀鳴聲。第二天，大家再到附近尋找牠，小黃又不見了，且此次一去就不再回來了。

時間一天一天的過去，小黃始終沒有回來。我們猜想，小黃當夜是否在向我們告別，牠自知牠的病情嚴重將不久於世間，於是悄悄出走，躲到一個偏遠的地方等待生命極限的到來。真的是這樣嗎？這是否是動物的天性與本能？我們不知道，但，小黃確實自那次出走後就不再回來了！

（『新文壇』季刊）

母愛的震撼

　　一支影片，在網路上點閱，短短不到四分鐘，卻使我一看再看，無比感動。

　　影片開始，一處空曠的山林，一隻肚子極餓的獵豹。突然牠發現不遠處一塊草地上，躺著一隻正在嬉戲的小熊。牠悄悄地欺近，站到一塊大石上，突然加速往前衝去。此時，小熊也發現情況不妙，立即奔跑。一會兒來到一條河邊上游高岸阻斷去路。河上恰有一隻傾倒的枯木橫躺，小熊無所選擇立即爬上枯木並不斷前進。

　　此時，餓極了的獵豹也已趕至，跟隨小熊爬上枯木。雙方爬至河中心上方，枯枝最長頂端處對峙。小熊眼見就要被逮，一個心慌折斷頂端枯枝，跌入湍急的水中。

　　在水中載浮載沉的小熊，幸好攀到跌落水中的枯枝，一路往下游而去。獵豹一見也立即往下游趕去，並提早抵達河下方一個攔水亂石堆上等待。一會兒小熊漂流而至，眼見又身陷險境，立即棄枯枝游至另一端，但獵豹立即欺身而至。小熊這次真的逃無可逃。

　　小熊瑟縮恐懼地蹲坐於亂石堆中，絕望的本能發出垂死怒吼的掙扎。此時欺近的獵豹突然退縮，挾著尾巴倉皇而逃。

　　鏡頭放大，原來小熊背後約十來公尺的河岸，一頭母熊

正怒目而視，發出震天的怒吼。

　　小熊立即奔上前去，母子情深地，相互舔著臉、鼻。

　　不知這支影片是怎麼拍攝的，拍得如此自然，如此生動、緊湊，令人觀賞時無時無刻不懸著一顆心。

　　母愛親情的偉大，於最緊要關頭展現，那種震撼與感動，令人久久內心無法平息。

（收入山東『中國當代親情詩文選』）

小　胖

小胖是我家所養一隻兔子的名字。

小胖何時來到我家？大約三年前某日，小胖突然出現在我家屋旁的一棟廠房角落，經工廠人員發現抓住，卻遍尋不到飼主。工廠老闆娘阿娟是我家姪媳，知道我一向喜歡養小動物，就前來詢問是否要飼養？由於沒有養兔經驗，我拒絕了。想不到一向對養小動物興趣缺缺的一雙兒女，卻表示極大意願，於是約法三章，往後飼養的工作完全由他們負責，就此，小胖來到我家。

小胖來到我家，一對兒女及老婆忙翻天。首先他們去寵物店買了一個大鐵絲籠子，飼料、餵食器皿等一應俱全。並

在十分擁擠的客廳清理出一角，放置鐵籠。為了要了解兔子習性，並前往書局購買了好幾本養兔的書籍。如此這般，小兔正式成為我家的一

員。由於牠看起來圓滾滾胖嘟嘟的樣子，於是女兒為牠取了個名字「小胖」。

小胖剛來到我家，尚是一隻幼兔。黃白相間的羽毛，瘦弱的身軀，有些兒怕生。由於飼養得宜，不久就越長越大，成為一隻成兔。在家中客廳待久了，小胖對我們家的每位成員也就逐漸熟悉，當我們用手撫摸牠的羽毛，牠也不再像剛來時顯得驚慌，而是瞇著眼睛一副享受狀。由於女兒經常幫牠清理籠子及餵食，牠也能「知恩圖報」，當晚上我們打開籠門給牠「放風」時，牠經常黏在女兒身邊。偶爾碰到牠認為「危險」訊號時，牠會移動身軀在客廳小跑步，此時後面兩片雪白屁股抖動著，十分可愛的模樣，經營惹得我們全家笑呵呵！

小胖還有一個良好的習性，白天當家中每個成員各忙各的，沒有空理牠時，牠獨自關在籠內，不吵不鬧，安安靜靜的。晚上給牠「放風」，牠就在客廳、房間我們允許的範圍內四處活動。累了就趴在客廳磁磚上休息。若想大小便，牠會自動跑到女兒為牠預鋪好報紙的特定場所。「放風」太久了，牠也會自動跳進籠內，或許牠認為還是自己的小窩最安全吧！

小胖如今已成為我家的「開心果」，我們希望小胖永遠陪伴我們。這種人與動物之間毫無隔閡、相互信任的友誼，多麼美好。

（『中華日報』副刊）

賞　　鳥

　　每次開車返回南部省親，那些鳥兒總是無時無刻吸引住我的目光。

　　牠們成群出現在廣闊的原野。有些站在高高的電桿線上，小寐或唱著情歌；有些漫步在田野裡，靜靜的專注覓食；有些則高飛在空中，留下一道道美麗的影踪。

　　牠們大都三五成群，行蹤隱秘，只要遠遠發現有人類走近，立即高飛遠走，故想要近距離觀察牠們可非易事！這些鳥兒有大有小，身體顏色大抵都是黯灰色，除了一種例外──白鷺鷥，牠們穿一件白色衣裳，在曠野中格外醒目。

　　白鷺鷥是原野的一道最美麗的風景，是原野的守護神，最勤勞的鳥族農夫。牠們眼觀四面，耳聽八方，只要發現原野上哪塊地有動土

的跡象，牠們立即由四面八方蜂擁而至，因為動土表示昆蟲食物眾多可以飽餐一頓。故經常您可見一輛行駛中的耕耘機旁，圍著幾十甚至百餘隻的白鷺鷥，形成一道壯觀美麗的風景。

那一天我漫步在田野的小路上，晚風習習吹拂，格外清爽。不知不覺間走到原野深處，一處人跡較罕至的一口池塘邊，不覺驚起一群鳥兒，牠們為數竟有幾百隻，大大小小，漫天飛舞，蔚為壯觀。又隔一會兒，見我走遠牠們又成群降落池塘上，紛紛展開覓食、相互嬉戲的活動，有些並不時發出嗷嗷的聲響。

我趕緊返回家中，找出高倍望眼鏡，又趕回池邊遠遠觀賞。透過望遠鏡，原本模糊的小鳥身軀變得清楚異常。牠們一隻隻高瘦如竹竿的雙足踩在淺水池塘上，眼睛望著水面，偶而把長長的喙往水裡一插。有些捕食完畢，將兩腳彎曲浸入水裡，盡情用頭撥水甩動身體，享受著沐浴之樂。這些鳥群之中，以一種長腿水鳥佔大多數，白鷺鷥與短腿水鳥佔少數，但牠們都能和睦相處，共同覓食於一塘。

這口池塘佔地約兩三畝，由於主人長期任其荒廢，池塘周圍長滿野草，池塘一部分皎白筍頑強的蔓生著。由於隱祕性夠，又加上冬天枯水，此池塘竟成為鳥族的樂園了。

（『中華日報』副刊）

詩人、畫家

　　由於寫詩的關係，認識了很多詩人，有兩岸四地的，有東南亞諸如新加坡、馬來西亞、越南、泰國等華文詩人，也有少數歐、美詩人。這些詩人，大部份是在詩歌交流的會場上認識，也有些是透過刊物編投等方式認識。由於時間、空間的限制，大部份詩人可能只能神交，少數見過一兩次面，

三月詩會詩人每月定期餐敘

只有極少數詩人能經常見面，諸如刊物同仁，某些有固定時間聚會的詩人組織等。

　　詩人朋友由於有共同興趣，見了面當然是熱情異常，聊起「詩經」來沒完沒了。有些詩人雖說僅見過少數一兩次面，但影像令人難忘；有些詩友雖經常見面，但卻無法交心。詩人朋友大多善良，沒有什麼心機，極好相處，但也有少數例外。在台灣詩壇上就有兩位大家公認極難相處的詩人，私底下大家稱呼他們為「歹剔頭」，也就是說千萬別惹上他們，否則吃不完兜著走！

　　詩人朋友十分熱情，有時候這種熱情也會意外擦出火花而發展成愛情。最有名的例子是二十多年前，台灣舉辦世界詩人大會，一位年約六十多歲在台灣詩壇頗知名的男詩人，因與會認識了一位來自美國年約四、五十歲的黑人女詩人，兩人一見鍾情，往後透過一次次詩歌傳情，最後這位台灣男詩人竟毅然丟下一切「為愛走天涯」，飛到美國和這位女詩人結成伴侶。兩人在美共同度過了十多年的黃昏之戀，直到前些年才傳出他已因年老而過世！

　　詩人由於善用筆桿寫出動人詩篇，這也成為追逐女友的「最佳利器」。我認識的幾位前輩詩人，他們都娶得「美嬌娘」，年紀往往比他們小十幾甚至二十多歲。這些固然有時代背景，但無疑詩歌當年也曾幫了他們大忙。其中有一位更離譜，竟然在七十多歲時，還跑到大陸和一位年約三十餘歲的杭州姑娘同居，羨煞我們這些曾前往他家做客的詩人朋友。此外，另有一位現年七十多歲的詩人，比離譜還離譜些，自兩岸開通後，二十餘年來已陸陸續續從彼岸娶回好幾任美嬌

娘，真不知他是「任性」還是「風流」？

　　雖然我不會作畫，但也認識了一些畫家，這些畫家大部份是我老婆的朋友，因為我老婆就是一位畫家。

　　老婆從年輕就讀中學時就對繪畫有興趣，據說她的畫作畢業時曾被母校高雄商校收藏，可見當時她的畫作就已有一定基礎。嫁到北部鶯歌後，一度迫於經濟壓力，她曾為一些陶瓷商家彩繪花瓶、磁盤等，以賺取微薄工資。後來生活較穩定，她因緣際會至台北市和一位牟姓知名畫家學習國畫，如此至今二十多年仍不停止。二十多年來的努力，如今她的功力已大增，當然也認識很多畫壇的畫友，有時我也參加他們的聚會，故也就認識了一些畫家。

畫家周秀美和她的展畫

　　畫家朋友也是相當熱情可愛的，他們經常聚會，以研討畫藝。有時我也和他們一起出國旅遊，他們每到一個景點，就把握機會拿出紙筆速描，在極短時間內即將所見風景輪廓畫好，看得我好不欣羨。自己也曾暗自心想，哪一天自己也拿起畫筆，學學作畫，畫出自己喜愛的風景、人物、動物等。由於目前我已退休了，有

較多時間利用，看來這個想法就等付諸行動而已。

　　我家客廳的牆壁上掛有一張山水國畫，這是當年一位知名畫家送我的，我極為珍惜。這位畫家年輕時也是一位詩人，曾寫過不少詩，後來專心作畫就較少寫了。某次我在我主編的詩刊上，製作了一個「畫家詩人」專輯，也邀他供稿將他的一些早期作品收入，詩後並附簡介。他收書後十分感激。後來他罹患癌症，在即將過世前一日，為表達感激，竟拖著病體至郵局寄了一張畫給我，當我收到他的畫時，他已過世了，這幅畫竟成絕響。詩人畫家，有情如斯，豈能不令我感動感激而將他的畫視如珍寶？

　　由於自己曾長期主編一本詩刊，有時也為詩歌學會主編一些會員選集，此時封面或內頁需要一些畫作來做美顏，只要詢問一些認識的畫家朋友，他們都很樂意的提供畫作讓我無償使用，讓我十分感激。

　　畫家詩人，詩人畫家。有人是一人兩兼，有人是專精一職，就看各人的努力與天份了。不過自古詩畫即是一家親。魚幫水，水幫魚。就像我離不開我的畫家老婆，我老婆也離不開詩人台客！

上
圖
：
蔡
信
昌
國
畫
作
品

左
圖
：
周
秀
美
國
畫
作
品

馮蓮英國畫作品

吳元卿國畫作品

林之寶島行

　　認識十多年的一位寧波女詩友日前突來函，表示她的一位極要好的女友，家居山東青島的散文作家林之將來台自由行半個月，囑我有機會盡一盡地主之宜，好好接待一番。所謂在家靠父母，出外靠朋友。思及以往前往彼岸開會、旅遊，經常接受彼岸文友熱情的接待，感念在心。如今有機會稍盡地主之誼，當然十分樂意，於是就積極等待進一步的消息。

　　約過了一星期，終於傳來消息：「林之將於明天下午抵達台北，入住西門町桔子酒店。」於是次日晚上八時許打電話到酒店櫃台詢問，終於和林之聯絡上，約定次日早上八時許到酒店和其見面。

　　次日早上我約了詩人傅予一同前往，八時許抵酒店一樓櫃台，在尋找電梯入口時，見一中年婦人正在向櫃台小姐詢問，也不在意。待電梯門打開，我和傅予進入，那位婦人也擠了進來，我們三人共乘一部電梯上了四樓，一路默默。電梯門一打開，我和傅予趕緊尋找 401 號房，卻見那位婦人也正待開啟 401 號房門。「啊！莫非你（妳）是……」我們兩人不禁相視一笑，這是我和林之相識前的一段有趣插曲！

　　「林之，本名張秀芳，一九六二年生於山東青島一個偏僻山區的農家。務過農、做過工、經過商。生計之外，最喜

歡兩件事：旅行與寫作。」我們見面後互贈作品集，林之送我她的一本最新散文集《帶你回家》。以上簡單扼要的介紹，即是出至書中封面摺頁。

在我們往後接觸的幾天中，林之陸續告訴我有關她的成長過程與經歷。小時候家中務農，父母皆不識字，家中五位姐弟，她排行老二。由於家中窮困，她無法上大學，高中畢業後即進工廠當女工，靠著自己不服輸的個性與努力，一步步往上爬，終於掙脫窮困的宿命，帶領全家進入小康之境。又因自己努力的過程，獲「青島日報」大幅報導，引來仰慕者追求，最後嫁了一位極為出色的老公。目前他老公是一家大公司的老闆，她則已「晉升」老闆娘。

問了她追求文學的過程。林之說，小時候即十分喜愛讀「閒書」，母親責罵禁止，但父親卻「掩護」她，經常向人借書給她「偷讀」。由於讀了太多「閒書」，自然而然喜歡上文學。年輕時為事業打拼，無法在文學道路上繼續追求，直到四十歲以後，她事業有成，毅然將事業全部託付給老公，開始繼續未完成的「文學夢」。首先進入北京「魯迅文學院作家班」學習，認識了很多有才氣的「同好」，往後在文學道上相互鼓勵與扶持。

談到旅行，林之說旅行可以增進自己寫作的知識與閱歷，故她極熱愛旅行。只要在家中待上一陣子，感覺靈思枯竭，她即靜極思動。又因跟團極為不便，故她一向都是「自由行」，單獨一人揹上簡單衣物即踏上旅途，少則半月，多則四、五十天，旅途上隨遇而安，行前只簡單計劃，不刻意安排。她曾獨自前往西藏及歐、美等地旅遊數十天（林之這個

筆名就是因旅行西藏林芝這個地區，因太喜愛之而取名）。聽了她的話我簡直不敢置信，原本對她來台獨自旅行還有些為她擔心，以之相比，那此次來台旅行豈不是「小菜一碟」而已，我真是「杞人憂天」啊！

我們三人在房間內交談了約十來分鐘，隨即外出，我和傅予帶她及另一位也早先來台講學的重慶西南大學新詩所教授向天淵至『文訊』雜誌社拜會、參觀。

左起向天淵、傅予、林之、台客（參觀文訊雜誌社）

後又轉往附近的中正紀念堂及二二八公園逛逛。中午由傅予兄請客，在一家餐館享用牛肉餡餅及小米粥美食。午餐完畢，傅予和向天淵有事先行離開，我則續帶她搭捷運至國父紀念館及台北101大樓參觀，直到下午四點多才結束返回

旅館休息。

　　林之計劃次日至淡水老街及士林夜市等地逛逛，我想陪她前往，她卻說：「台客先生，你今天陪我一整天，我已十分感激。況且我旅遊喜歡單獨一人，你就不用大老遠再跑來陪我了。」為了尊重她，我只好同意，僅能說希望她南下旅遊後再次返回台北，儘速和我聯繫，我再盡地主之誼，陪她幾天。

　　林之在台北待了三天，隨即搭火車前往台中、嘉義、高雄、墾丁等地旅遊，期間我只能默默祝福，希望她此行圓滿順利，見到她所希望見到的人或風景。偶

林之攝於墾丁

而我們以 email 聯繫，直到隔了八天後她才打電話給我，表示她目前人正在墾丁，預計次日搭高鐵返北，將住在中壢市的某旅館。

　　就在她入住旅館的次日早晨，我開車前往探視她。她希望前往新竹「三毛故居」參觀，由於我沒聽過「三毛故居」，不知在哪裡，也認為那裡可能沒開放或不好玩，建議她到新竹其他更有名的風景區遊玩，卻遭她一口回絕了。她說：「拜會三毛故居是我此行的計劃之一，主要是情感因素，出於對

作家三毛的景仰與崇拜，開不開放好不好玩皆不在考慮之列，其他風景區可以不看，一定要去三毛故居。」於是趕緊請人上網查了地址，原來在新竹縣五峰鄉桃山村的偏遠的深山裡。來回行程約有兩百餘公里，遂趕緊上路。車好不容易開上高速公路，一路南下，約一個鐘頭抵新竹，下了交流道，續往目的地開，由於對道路不熟，輾轉問了多位路人才開進五峰鄉前往桃山村的道路上。在蜿蜒崎嶇的山路上，又開了一個多小時，才抵達清泉部落「三毛故居」所在地。此時已是下午近一點鐘了。

清泉部落位在上坪溪上游的一個開闊的河谷地上，居民主要是泰雅族山胞。我們停妥了車，先在附近山胞開設的簡易餐屋享用了山地美食竹桶飯、過貓菜、大香菇及山竹筍湯。隨後即開車沿陡峭的山坡上到一間磚房小屋，啊！這裡就是讓遙遠彼岸林之女士魂夢所繫的「三毛故居」了。參觀三毛故居，要繳入門費新台幣每人二十元，獲得可以蓋紀念戳的三毛窗台沉思明信照片一張。故居僅有兩間房，分別擺了一些三毛的照片、新聞剪報及生平介紹文字等，另也販售一些三毛的舊書。問了目前管理故居的女主人徐秀容女士，她說這些書都是她從全台各地舊書攤搜購的，再以稍高價格轉賣給喜愛三毛的「粉絲」。她又說三毛生前曾在此小屋住了三年，主要是應一位丁神父之邀在此翻譯三本有關神學方面的書。

從「三毛的家」前面空地憑欄遠眺，整個寬闊的河谷地形呈現眼前，吊橋高低四座平均分布，河床溪水潺潺流過，河兩邊林木蒼翠，靜聽天籟之音及蟲鳴鳥叫，景緻真的美極

了。難怪當年能讓有著一顆極不安穩的心的三毛女士待上三年漫長時光！

林之於五峰鄉清泉部落

參觀完了「三毛故居」，我們又沿故居小路走上聯絡兩岸河谷地的四座其中一座最高的吊橋，顫危危走過再走回，體驗一下當年三毛作家當年經常往返走過的心情。

下午三點多，我們結束行程，打道回府。車子開回鶯歌已是晚上六點多，我又帶林之參觀了陶磁老街，用了晚餐，才帶她至鶯歌火車站搭火車返回中壢旅館（她住的旅館就在中壢火車站旁）。

次日早上八點多，林之由中壢搭火車至鶯歌，今天她想到「九份山城老街」參觀。我算了一算時間，應可以先到宜蘭縣的羅東、蘇澳等地玩玩，再到九份，於是車子開上高速公路之後即往雪山隧道方向前進，過了雪隧復一直沿五號高速開至最盡頭的蘇澳。到了蘇澳，又為了想讓林之此次寶島行不留遺憾，就再開上蘇花公路，讓她體驗一下蘇花公路的壯麗景色。此時天空卻飄起濛濛細雨，且有越來越大之勢。手機突然響起，原來是林之老公「查勤」來了。「啊，我目前正在蘇花公路上，天上還飄著雨呢……」「妳瘋了嗎？怎麼跑到那麼危險的地方，趕快往回走……」我似乎看到手機裡林

之老公憤怒焦急的表情。

　　車子開了半個多鐘頭，我們正待回頭，車子開到東澳地區，街面上居然十分乾燥，絲毫不見雨跡，太陽也從天空微露出了臉。啊！老天還真搞怪呢！我和林之相互笑談。在東澳火車站照了相，吃了午餐，我們隨即往回趕，又經過漫長的兩個多鐘頭的車程，正當林之女士感覺怎麼道路這麼漫長遙遠時（尚未來台灣前她曾心想台灣島從地圖上看就那麼巴掌大，三、五天就可逛完了），下午五點許終於抵達九份山城。我們車子沿山路直上老街，途中突碰到一片美景，傳說中月曆上經常看到的「黃金瀑布」呈現眼前。我們趕緊停車觀賞、拍照。由於此「黃金瀑布」美景位於開往九份山城老街的另一條道路上，以往我雖曾多次造訪老街，卻無緣見到，想不到此次因即將天黑，上山時陰錯陽差開到另一條道路而終於見到。我對林之說，還是妳比較有福氣，第一次來九份就看到此美景。此時林之女士正忙著拍照，大概也沒有時間聽我說廢話。

　　賞完了美景，車子續往山頂開，不久抵達山頂老街。我們下車觀賞。老街彎彎曲曲幾百公尺，兩邊盡是販賣各種吃喝玩樂食物與東西，看得人眼花撩亂。林之見到新奇的食物及東西就不停拍照，我請她進店吃些九份最有名的芋圓紅豆湯及魚丸湯，她一直搖頭說不餓不餓，等一下回頭再吃。結果老街逛了來回一遍，她僅僅吃了一個「手捲花生粉配冰淇淋」，還是我一直拜託她吃，她才勉強吃下。她平常不敢亂吃東西，女生為了愛美怕胖，保持身材體態我可理解。但到了這種地方，卻一直拒吃美食，簡直讓我難堪。看來她在書上

說她喜歡到處旅遊、品嚐美食，前者我信，後者我要打個大問號！

老街逛了近一個鐘頭，我們走出老街，開車返回。又經過一個多鐘頭的車程，終於安抵家門，結束這一天兩百多公里的旅程。

第三天，林之要搭下午四點多的飛機返回青島，她尚有上午半天可以利用。她說要利用這半天到中壢市的商城買點東西，我就不陪她了，僅在上午八點許再次打電話向她致意、道別。

以上是我接待林之寶島行的過程，一段極平凡的過程，但也見證兩岸同胞血濃於水本是一家親的過程。思及以往國共鬥爭，兩岸同胞互不往來，甚至互相視如寇讎，如今的局面豈不令人更加珍惜！

（2013/11/27）

林之正在拍攝黃金瀑布美景

動物三章

一、小偷

牠確實是一個小偷，因我恰好目睹牠偷東西的整個過程。

那是一個春日午後，我搭貓空纜車至木柵指南宮一遊，當由主殿欲至偏殿時，剛踏上門檻，才一轉頭，恰好就看到了這一幕。

牠正蹲在二樓的樓梯扶手頂端，兩隻精靈的眼睛滴溜溜地往下望著。四下無人，遲疑了一會兒，牠立即俯衝而下，身手敏捷一躍至樓梯旁的桌上。桌上不知哪位香客放了一袋子的芭樂以及分散的四根香蕉。

牠想拿走其中一根香蕉，忙亂中卻無意踢落了另一根香蕉至地上，雖然沒有發出任何聲響，但牠好像有些急了。此時似乎感覺有人影晃動，

作賊心虛，牠立即以兩隻小手，捧著一根香蕉，一溜煙按原路跑走了。

雖然牠是一個小偷，但我想我們會原諒牠，因為牠僅僅偷了那麼一點東西，一根香蕉。

更重要的是牠是那麼可愛，一隻有著長長尾巴的小松鼠。

二、餵魚

埠塘之美

餵魚可以餵得這麼盡興、愉悅，我想這個機會是十分難得的。

那是一口位於公園內的大池塘，池面廣闊約有好幾公頃。臨池四眺，水波不興，草木蒼翠。池塘四周闢有環湖道路，每天都有無數民眾前來踏青、遛狗，尤其是星期例假日，更是人聲鼎沸，熱鬧異常。

在池塘的一處適當地點，建有一座木造觀景平台。平台立於岸邊水面上，走上平台，可以以更理想的角度來欣賞池面之美。而更讓人有趣的是平台下面無數來回游著大大小小的鯽魚、吳郭魚、金魚等，牠們或許早已習慣了人類的餵食，並不怕人類。

只要有人丟下一片麵包，牠們即群起搶食，場面熱鬧異

常。而更令人訝異的是，不只是魚類搶食，池塘中無數大大小小的烏龜、甚至鴨群也紛紛聞風從遠處趕來加入搶食的行列，那種熱鬧情形大約只能用「搶搶滾」來形容吧！

餵魚，看成群魚兒為了生存食物而爭搶，除了有趣之外，也不免反思我們現代人的生活真幸福，不用為食物的短缺而煩惱，能不惜福乎？

三、會唸阿彌陀佛的斑文鳥

日前一位朋友 email 一個影片給我，影片的題目是「一隻會唸阿彌陀佛的斑文鳥」，基於好奇心，立即點閱欣賞。

影片只有幾分鐘，敘述在台中某佛學院，某次颱風將樹上鳥巢打落，巢中三隻嗷嗷待哺的幼鳥頓失倚靠。佛學院尼姑基於善心將牠們帶回飼養。由於飼養期間日日聽到阿彌陀佛的佛號，不久長大會飛了，三隻鳥卻不飛走，反而和人十分親近。而更神奇的是其中一隻取明「寬大」的鳥，竟口宣佛號，會唸「阿彌陀佛」。剛開始大家不敢置信，但後來越聽越像，甚至連抑揚頓挫的聲音都有。而據該寺訪問野鳥協會專家，表示此種小型鳥從不曾聽過會學人語，連他們也認為不可思議。

「眾生皆有善根，只要落在好的土地，就會發芽！」對於這個不可思議的事件，該寺一位尼師下了按語。

確實，佛法浩瀚無邊。「寬大」的會唸「阿彌陀佛」，可能不僅僅是某些無神論者所說的「學舌」而已！

（福建『福清文學』季刊）

蛙　　鳴

　　時值春夏之交，每逢夜晚，居家附近總傳來一陣又一陣的蛙鳴。

　　蛙鳴聲太過密集，有時會吵到人們的安眠。日前閱報就有一則消息，一位開車的司機大哥，向法院提告他的某位近鄰，因庭院種植了幾盆荷花，引來青蛙躲藏其中，每逢夜晚蝈蝈大叫，吵得他無法安眠。白天開起車來自然無精打采，生意也一落千丈，因此提告，要求賠償。幸賴法官明鏡高懸，認為賠償無據，予以駁回。最後只派人到那位被告家中庭院大肆搜索，抓到幾隻躲藏的青蛙予以放生，方才解決問題。

　　蛙鳴是大自然的現象，有人認為蛙鳴為夜晚憑添了不少詩情畫意與想像。有人則或因淺眠或內心焦躁，認為蛙鳴嚴重損害睡眠品質，無福消受。如今很多鄉鎮大樓，都是由早期農田蓋起來的，只要附近尚留有一些畸零地，則青蛙即可據地繁殖，惱人或怡人的蛙鳴，在春夏之交求偶期，總會伴隨著周遭的住戶，度過一個又一個的夜晚。

　　小時候我家居鄉下，周遭是一大片的農田。或許是農地太過廣闊，蛙鳴聲被掩蓋在稻浪之間，幾乎不曾聽過有什麼人因蛙鳴而產生困擾。倒是聽過一些消息，有些人為了賺取外快，經常利用夜晚到稻田裡，四處以釣竿或其他方法捕捉

青蛙拿去賣錢。也經常在菜市場上看到一簍又一簍的青蛙，被置放於地上奄奄一息的等人前來購買，令人看了十分不忍。

今晚，照例居家附近又是蛙鳴聲四起。不論人們是喜歡或討厭牠們，牠們總是按照牠們祖先千萬年來的步調與習慣認真的生活，哪管你們人類的感受！

詩人畫家薛雲國畫作品

天天「瘋」圓仔

圓仔，團團與圓圓的女兒，自從去年七月順利出生後，一直成為國人注目的焦點與「嬌」點，在眾人關心與注目的眼光下，她順順利利成長，從剛出生的體重一百多公克，嬌小柔弱，引人擔心，到如今長成為已好幾十公斤「水嗆嗆」活力充沛的大女孩子。

從電腦網路上看著她圓滾滾調皮搗蛋又一臉天真無辜可愛的模樣，難怪圓仔的「粉絲」一直居高不下，動物園特別為她設立的「圓仔日記」專區，一直是網民點閱的熱點。我和我老婆都早已是她的粉絲，三兩天總要上電腦點閱一下，看看她的近況。我老婆更說，世事、家事多煩惱，惟有每天

觀賞一下圓仔，才是她勉強活下來的動力，可見得她「瘋」圓仔的程度！

為了「瘋」圓仔，從她出生起，只要報紙上有刊出圓仔的照

片與報導，我一定把它剪下來，貼在一本大剪貼簿上，如今快一年下來，已貼滿了一整本。心情鬱悶時，拿出來翻閱一番，確實達到解憂去悶的效果。

除了搜集圓仔照片與相關書籍，有時在賣場看到有圓仔的實體玩具，我也會買回欣賞，如今我的床頭櫃就擺了好幾隻「熊貓」玩偶，其中兩隻更是遠從四川成都的熊貓基地揹回。而我的汽車擋風玻璃下更擺了一隻「圓仔」，讓圓仔隨時陪伴我到處旅行。

在網路上看圓仔，雖然看得很清楚，也較有劇情編排，但終究非看到她本尊。那天我趁前往台北辦事，特別趕到木柵動物園去關心她。非假日且天空飄著時大時小的雨，但熊貓館依然人潮不斷，有好幾隊是幼稚園同學，他們在老師帶隊下集體前來參觀，每人都面露喜色，興奮快樂的模樣，讓我這個「爺爺」也感染到他們的氣氛。

排隊進入熊貓館，不久即來到鐵柵欄邊，隔著一層玻璃，遠遠看到圓仔正趴在一根樹幹上歇息，而她的媽媽圓圓與爸

爸團團則在下面四處走動。由於時間限制，只能匆匆一瞥趕緊照幾張相片即出來，實在相當不過癮，但也沒辦法。

天天「瘋」圓仔，圓仔是外省第二代，是真正的新台灣之子，是動物界雄貓界的林志玲，是所有台灣人的開心果。

那麼，朋友，今天您「瘋」了嗎？

我愛奇石

　　喜歡玩賞奇石，大約是十多年前的事。

　　由於三哥喜歡玩賞盆栽，對奇石也有一些涉獵。某次他邀我前往參觀一個奇石展。我一下子就被那些從未見過千奇百怪形態各異的奇石迷住了。

　　玩賞奇石，首先當然要了解它們，諸如它們的產地、石種、身價等等。於是我首先到書店去尋找這方面的資訊來閱讀，也訂閱一些相關雜誌。經過一段時日後，總算對各種奇石有所了解。

　　接下來是如何擁有你喜歡的奇石。來源有二：其一、自行到各大小河床或海邊去撿拾，免費獲得。其二：用錢去撿，即到各奇石店去尋寶。一般愛石人是兩種方法兼行，因為河、海邊偶而固然也能撿到不錯的石頭，但終究可遇不可求。奇石店內則有來自全中國各地的好石頭，有時價格也還可以。最主要是若不用錢撿，那麼你一輩子可能也無法獲得這些石種的奇石。

　　記得剛開始喜歡玩賞奇石那幾年，我幾乎有空就開著車子往附近的河床上跑，人像瘋子般在荒涼的河床上尋尋覓覓，每次總要載回一車滿滿的石頭。石頭太多了，我又利用居住的樓下一片空地，開墾出一個專門擺放石頭的花園。闢

作者與志剛於東海岸撿石後合影

建花園時,驚動一些左鄰右舍親戚前來探詢,大家都笑我:「憨猴搬石頭」。

　　除了在住家附近的河床上尋石,利用三兩天放假日,我也經常邀集三哥或其他石友來個寶島行,到全台各地河、海邊撿石。最常去的就是花東海岸,因為那邊的石頭最漂亮。當然在撿石的旅程中,也不時光顧路過的各大奇石店。遇到喜歡的奇石,絕不手軟的花錢購回。據粗步估計,那幾年花在瘋狂購石的錢,約在新台幣百萬左右。如今這些美石、奇石,全部收藏在我的家中及頂樓花園,一顆也沒有轉賣。

　　除了在寶島撿石、購石,有時也遠征彼岸,到中國大陸奇石的產地或市場去參觀兼選購。記得一次曾和石友前往柳

州的奇石市場參觀，大大的開了眼界。又有一次前往寧夏參觀當地奇石館，並在當地人的帶領下到內蒙古的左旗去參觀選購戈壁石。

　　由於自己喜歡舞文弄墨，於是也不免將賞石心得寫成文章或新詩，先後曾結集兩本專門寫石的詩與散文合集包括《石與詩的對話》、《與石有約》，這也算是無心插柳柳成蔭吧！

　　如今年紀逐漸大了，石頭看多了也搬不太動了，再也不復當年對石的一腔熱情。但對賞石仍然是喜愛的，有時到海邊也撿撿石頭，但已毫無得失心，更不用說花大錢買石頭了！

（『石之藝術』季刊）

作者最衷愛的一顆圖案石 —— 白熊母子情

馬術秀的遺憾

前一陣子去南投參加三天兩夜的大學同學會，頭一天住日月潭邊民宿，次日開車去清境農場遊玩。當天下午兩點左右抵達入住國民賓館後，主辦同學囑咐大家立即在大門口集合，因要趕去看兩點半開始的綿羊秀和馬術秀。

綿羊秀相信很多都看過，但馬術秀則較少見，到底要表演些什麼，我有些好奇。

下午三點半，當我們看完了綿羊秀，循著指示的山路走了十多分鐘後，終於抵達馬術秀現場。只見一個半圓型的斜坡，斜坡座位已有八成滿，約坐了幾百人。斜坡底下表演場是一個圓型的場地，範圍不是很大，我有些納悶，如此小的場地，怎容得下馬的奔馳與人的表演？但既來之則安之，且耐心看下去。

不久配合著音樂與主持人的介紹，馬

術秀正式開始了。只見兩位俄羅斯美女與兩位俄羅斯帥哥分別騎著高大的馬匹出場，不停的繞著圓圈，表演各種高難度動作，諸如馬背站立、馬背倒騎、騎馬射鏢、馬上拾物等等高難度動作。由於馬兒高大強壯，動作靈活配合，表演十分精彩，觀眾紛紛給予掌聲。甚至當約半個多鐘頭表演完畢後，有些觀眾還為了表達激賞並給予這些異國來的表演者以鼓勵（他們這些危險動作的表演，沒有一家保險公司願意給他們投保），紛紛自動走到表演場地邊的打賞箱投錢。

　　想不到從南投參加同學會返回後不到兩個禮拜，竟從報紙上讀到這個消息。馬術秀團長因不滿徒弟在表演中連續兩次失誤，給予指責，雙方發生口角，最後竟演變成師傅不慎殺死徒弟的刑事案件。整個表演工作面臨停擺。唉！多麼的令人遺憾啊！

　　事後雖然師父極度懊悔、自責，然而遺憾與大錯已經造成，無法彌補！

　　為什麼很多人總是無法克制自己的情緒，不懂得退一步海闊天空的道理，一定要等到大錯造成才來自責、懊悔莫及，值得我們每個人好好省思！

（『新文壇』季刊）

同學會

「各位親愛的同學：又是一年春暖花開的好日子，茲預定於×月×日於××地方舉辦同學會，歡迎大家踴躍報名參加……」

阿生又以伊媚而發來今年同學會的訊息，他並在信中告訴我，今年聚會的地點是在台南的某風景區內，景色秀麗，要我一定前往參加。

記不清自大學畢業幾年後有同學會，只知道近幾年來每年我都參加，見見老同學，大家敘敘舊，聯絡情誼。隨著年歲的增長，如今大家幾乎都已從工作崗位退休下來，有較多的時間聚會。

大學時，班上總共有五十多位同學，然而如今每年參加同學會者最多僅二十餘位，有時僅十來位。有幾位同學人生已提早打烊，再也見不到他們了。大部分同學不是失聯就是沒興趣參加。故每次同學會大都是固定成員的十來位。

兩天一夜的行程，每次安排在島內知名的風景區舉行，兩三位較熱心的同學共同主辦，其他的同學盡量配合。聚會當日同學從全島北中南各地搭車或開車趕來。在定點聚集後再前往目的地。

當晚待住宿定，吃完晚餐，照例開起同學會，大家圍坐

在一起，談談笑笑，每人固定發言時間起來說說自己一年來的近況。同學會一開兩三個小時，大家才解散各自返回寢室休息或繼續聊天。

　　次日吃完早餐後，集體在附近風景點旅遊，下午吃完午餐後各自搭車賦歸。費用則大家分攤。

　　時間過得真快，算一算我們離開學校已四十年了，大家都已頭髮斑白！還能參加幾次同學會？趁現在還走得動，能參加就盡量參加吧！這是我的想法。

（收入『我們這一班』一書）

畢業近四十年的大學同學會合影

羽燕築巢

從南部開車北上，至苗栗縣通霄鎮時恰逢中午，遂將車停靠在一間大廟旁，下車尋找小吃店用餐。

走過一小段街道走廊，見有多間房屋的廊道上方都有鳥兒築巢的痕跡。仔細觀察，這些巢是以泥土及樹葉等混合築成，十分堅固的樣子。真令人感佩，這些勤勞聰明的羽燕，當初牠們是如何的辛勤，一草一木，一水一土，從野外找尋，用嘴啣回，再用牠們特有的天賦技術築成。

仔細觀察，有些巢裡的幼雛已相當大了，站在巢屋邊緣等待母鳥啣回東西餵食。有一戶鳥兒築巢的下方空地，屋主人放了一大塊紙板，紙板上面沾滿了鳥糞，顯然是上方幼雛的傑作。

再仔細觀察，有些幼雛竟已飛離巢屋，在鳥巢附近的鐵欄杆上徘徊，一副欲飛不飛顫危危的樣子，真令人為牠們擔心。

　　時時有母鳥飛來飛去的影蹤，牠們都是辛勞的父母，又要出外去覓食，又要時時擔心巢中寶貝的安全。可憐可敬天下父母心哪！

　　一般的鳥類築巢，都是選在遠離人群的荒郊野外，或是高枝上，或是樹洞裡。而羽燕卻選擇在人群聚集的房屋廊道上，牠們真不怕人類騷擾嗎？我想這是人鳥長期良好互動的結果。

　　民間傳說，羽燕會選擇來你家築巢，表示牠感覺你家是和善的，且羽燕在你家築巢，會為你家隔年帶來好運。故一般人都歡迎羽燕前來築巢，也都會盡量保護不干擾牠們。

　　日前看了一則新聞報導，一對羽燕竟然選擇某戶人家的客廳上空牆角築巢，鎮日飛進飛出，而屋主全家也十分配合。可見得台灣人對羽燕的喜愛與容忍程度。

　　據說羽燕築巢育完了幼雛後就飛離，但隔年春天牠們還會回來，不知是否為真？

　　啊！我真希望，哪天也有一對羽燕飛來我家築巢，我們全家都會歡迎牠們的。

（『中華日報』副刊）

遙控飛機觀摩記

　　吾友大農先生玩遙控飛機已有三十多年歷史，至今已逾花甲之年，仍樂此不疲。遙控飛機何以有如此魔力，我詢問大農先生，他說何不找一天前來實地觀摩一番，此間樂非三言兩語可以解釋清楚。

　　於是選個週末假日，特別邀集幾位居住台南的昔日大學同窗，一起開車至歸仁鄉拜會大農，順便看他怎麼「玩飛機」。當日上午九時許抵達後，由大農開車引導我們至他平常玩飛機的地方。大農說這是一塊台糖的廢棄場地，由於附近空闊，不知何時起一群喜好玩遙控飛機的「機友」，一遇星期假日就來此聚集，大家「以機會友」，其樂無窮。

　　我們抵達時，現場已停了十數輛廂型車，大家井然有序的停在空地一側，每一輛車子尾端地上都擺了一架或大或小的遙控飛機。有人正忙

著組裝，有人則已開始放飛。只見藍天上幾架飛機在主人的遙控器操作下，不停來回穿梭飛翔，煞是美麗。

　　吾友大農將車停妥，從車上捧出「他的最愛」──一架長寬各約幾十公尺的遙控飛機，然後開始組裝。先將兩側機翼鎖緊，繼裝上馬達，油箱加滿油……，然後開始「試機」。只見他以遙控器催動飛機馬達運轉，另外檢查阻風側翼、操控方向的尾翼、起落架、輪胎等是否正常？一切正常後開始正式放飛。

只見飛機緩緩在水泥地上滑行，緊接著一飛沖天，幾秒間已然飛上藍天白雲。飛機在空中不斷來回穿梭，有時飛到一兩百公尺遠，幾乎快看不到飛機，有時又低空飛行，幾乎要觸及地面。在吾友大農精湛的技術操控下，飛機甚至三百六十度空中快速旋轉，有時又在空中原地停留仰式引體向上，看得我們大呼過癮。

　　現場十餘輛車子，每位機友都和吾友大農先生熟識，大家相互打招呼。遇有組裝上困難時大家也相互支援。大農說如今退休了，每星期六早上他都會開車來此，和機友們聊聊天互通有無。機友們中各種行業皆有，有中學老師、有上班族、有公司老闆、也有空軍世家。現場一對父子正在放飛機，

大農說這位老爸是現任空軍飛官隊長，兒子尚就讀高中，在爸爸的耳濡目染之下，也喜歡「玩飛機」，且玩得十分投入。

　　問起玩遙控飛機會不會很花錢？大農說剛買飛機時各種配備與材料，可能要花台幣一、兩萬元，再來的耗損可能就是添購油料而已，基本上還好。飛機在飛行中若不小心碰撞損壞，除非是損壞嚴重，一般都可以自行修復，也不用花很多錢。

　　在台糖「飛機場」觀摩機友玩飛機約近兩個小時，時間已近中午，於是大農開始拆解飛機，將飛機小心翼翼收入廂型車裡。然後帶我們到附近餐廳去用餐，結束了一個上午的「飛機觀摩」。

（『中華日報』副刊）

思念的島嶼

── 軍郵憶往

　　思念的島嶼，在我的腦海中盤桓不去。昨夜，它又回到我的夢中。那壯麗的海岸，那雄偉的山巒，還有那兒居住的百姓與國軍弟兄，每一位都是那麼可親可愛……

　　思念的島嶼，在我的腦海中盤桓不去。多少年了？我已離開它。當年我是如何厭倦它，思忖著時間一到，立即捲起行李走人。想不到如今隨著歲月的沉澱，我卻又積極地想重回它的懷抱。看一看它的風貌，親一親它的土地，甚至吹一吹海風也是好的……

　　那是怎麼樣的一個島嶼？那個島嶼在哪裡？它與我又有著甚麼關係？

一、心懷忐忑，踏上島嶼

　　由於服役時沒抽到「金馬獎」，為了彌補這個遺憾，當我進入郵政工作，知道有「軍郵」這項業務，立即申請並前往受訓。經過一段時間等待後，終於派令來了，我被分配到馬祖地區的一個離島。

從台灣基隆港搭船艦出發，經過十幾個小時的大海風浪，終於抵達馬祖列島最大島的南竿島。次日再從南竿島搭乘小型交通船前往，船在海上航行了一個多小時，終於緩緩抵達了目的地 —— 西莒島。這是一個位於閩江口極為偏僻的小島，甚至連地圖上也不容易找到。而我終於歷盡艱辛來了，且要在這裡待上一年。

從下船的青蕃港（現已改名為青帆港）碼頭往上望，啊！好雄偉的山勢。軍郵局就建在半山腰公路旁，我提著行李，沿著石階一級一級往上爬，好不容易終於抵達目的地。

二、島上日月長

在島上服務的日子是極為單調的。上班之餘，除了眺望那無邊無際的海洋，就只能看看書、聽聽音樂卡帶。局屋裡雖有一台老舊電視，因收視極差，甚少開機。戒嚴時期，收音機是違禁品，被查到除了沒收還要受罰！此外，報紙、期刊一個星期才隨船來一次，早已過期。

有時下班後，為了鍛鍊身體，我也沿著環島公路四處走走。島的背風面較和緩，幾處靠海山坡被闢為民居，一些古樸老舊的石瓦屋，參差不齊的散佈在山坡上。迎風面則十分陡峭，岩壁像被刀削般從海面上矗立高聳。看似荒涼無路可通的懸崖峭壁內，其實有國軍弟兄闢築地道、坑洞把守。一根根巨大的礮管，在洞內隨時監視著海面。那是個冷戰的年代，雖已久不聞硝煙味，但也無法放鬆。

三、遙望故國河山感慨多

在島上，碰到假日好天氣，有時我也和同伴登高望遠一番。只要從居住的地方，爬上一段山路，即可抵達島的最高處。此時透過高倍望遠鏡眺望，可以隱約看到對岸的海岸線與漁船，天氣更好時，甚至連房屋、汽車及走動的居民也歷歷可數。

彼時兩岸未通，對岸仍充滿著神秘。雖然從讀書起，大陸地區的歷史與地理常識，我們早已背得滾瓜爛熟，但卻始終無緣一見，更遑論踏上它的土地。而一旦它清清楚楚的呈現在你的眼前，雖然只是透過望遠鏡，且隔著大海尚有一段距離，但內心那種澎湃、激動，卻久久不息。

作者三十年前攝於
西莒 53 軍郵局前

四、船來忙碌的日子

每星期一班大型交通運補船靠岸時，就是我們一整個星期中最忙碌的日子。

那天下午，局內總動員，至碼頭搶運郵包（一般都有國軍弟兄支援）。回局屋後又趕緊開拆、分揀信件，總是希望在最短的時間內，讓百姓及國軍弟兄早一分鐘拿到他們的東

西。

杜甫〈春望〉詩云：「烽火連三月，家書抵萬金。」那個年代，雖然已無戰事，但兩岸仍屬對峙。電話不能隨便打，手機更尚未發明。信件是島上居民和士兵唯一與外面聯絡的管道與精神食糧，顯得尤其重要。經常聽說有連隊官兵，因久無接到愛人或家人的信件而鬧自殺哩！

忙碌的日子從下午搶灘起，一直忙到晚上八、九點所有的信件都被領取一空才結束。過程雖然緊張，但也難掩興奮與滿足。終究，這是一星期中，我們最有成就感的一天。

五、與島上居民的互動

作者與軍郵長官合影

西莒島上共有青蕃（現已改為青帆）、田澳、西坵三個村，每一個村大約都只有三、五十戶住著幾十或百餘人，且都是小孩、老人與婦女。年輕人大概都跑到台灣工作謀生了。

郵局上班時間，前來用郵的百姓與國軍兄弟大都是固定的熟面孔，一段時間後大家就像一家人般，邊用郵邊話家常。偶

而遇到不識字的老先生或太太前來存、提款，則主動幫他們
填單、用印，村民質樸，似乎從來都沒有衍生過什麼問題。

　　下班時刻，有時也至村裡幾家商店逛逛，買點日常用品
等。偶而也在商家內泡泡茶，聽他們說些島上歷年發生過的
「重大」案件，諸如逃兵、軍民之間的感情糾紛等等。每次
總是聽得津津有味。

　　在島上服務的一年期間，說快很快，說慢也很慢。在返
台休假三次後（每三個月返台休假一星期），我終於「畢業」
了。

　　時間一轉眼又過了三十年，三十年是一段不短的歲月，
當年在島上認識的那些人那些事，隨著時空的轉變，或許早
已完全不同，但我仍深深懷念。

　　啊！那是個思念的島嶼。

（『郵人天地』月刊）

小小憲兵操槍秀

　　前往台北中正紀念堂聽一場二胡演奏會，演奏會是晚上七點半才開始，但我提早抵達，下午四點多我逛完了紀念廳內的一些展覽，不覺信步走出戶外來到廣場，寬闊的廣場上人聲鼎沸，原來有國軍陸戰隊弟兄在此表演各項戰技，順便招生。看著一位位體魄雄健的戰士，在鋪有軟墊的地上展開各種博擊、空手奪刃等動作，十分精彩。現場圍了一堆遊客，我也是其中之一。

　　當我正專心的觀賞著廣場上表演時，突然發覺在我旁邊約兩三公尺旁站著一位「憲兵」。這位「憲兵」全身穿戴整齊，一副雄糾糾氣昂昂的樣子，可惜個子太小了，約只有三、四十公分高！仔細一看，喔，原來他是一位年約僅四、五歲的小孩子，那模樣確實太 Q 了，我趕緊將原本對著廣場戰士拍攝的手機，轉向拍攝他，他

也十分淡定的「持槍」站在那裡，任遊客拍攝。

　　此時廣場上又有了變化，博擊戰技結束，開始操槍表演。只見一大隊憲兵同志在廣場上不斷來回變換隊形，手中的槍也整齊劃一的動起來，或拋或接或旋轉，煞是好看。此時我注意到，這位站在觀眾席上的小小憲兵也動了起來，跟著廣場上憲兵做著同樣的動作，學得一板一眼，有模有樣，太 Q 了。很多現場遊客不覺又把眼光和手機對準著他，他也不怯場，仍然動作俐落的操著，一把小小特製的玩具槍耍得真蹓，可見他在家中已經過不斷的演練。

　　又經過了十多分鐘，現場操槍表演完畢，時間來到下午近六點，天色漸漸暗了。沒有節目可以觀賞，觀眾群裡不知是誰提議，請這位小小憲兵再表演一段操槍術給大家欣賞，或許也得到他父母的首肯，於是他就大大方方的表演起來，前進、立正、迴轉、持槍旋轉、拋接……大家看得目瞪口呆，掌聲連連。表演了約幾分鐘，小小「憲兵」大約有些累了，於是一溜烟消失在人群中，惹得大家哈哈大笑，也終於結束了一場精彩的小小憲兵操槍秀。

　　　　　　　　　　　　　　　　（『新文壇』季刊）

輯四　感悟生活

鄭碧芳國畫作品

感恩的玉荷包

每年六月初，當玉荷包剛剛上市，價錢還貴得讓人有點買不下手時，我們即會接到一大箱的玉荷包。玉荷包是由妻的二弟從屏東寄來，一粒粒鮮紅渾圓的玉荷包，剝開表皮，將果肉往嘴裡送，不但汁多味美且十分鮮甜，令人吃了還想再吃。

妻的二弟家住屏東市郊區，他並沒有種植果樹。打電話問他果實從哪裡來，他告訴我們他有一位住在大樹鄉的好友，種植了好幾公頃的玉荷包果樹。每逢這個季節果實可以採收，就打電話邀他去採收，並免費讓他帶回一部分。而他家吃不完，第一個就想到我們，總是立即以快遞方式寄到北部和我們共享，如此年復一年。

小舅子年輕時，由於時運不濟，曾經有多年在娶妻生子後，生活面臨困境。我們夫妻知道後，多次由北部到屏東探

望他，並給予金錢、物質等資助，讓他們一家十分感激，經常叨念著他日生活好轉要回報我們。後來憑著他們夫妻多年胼手胝足的努力，生活終於有所改善，不但買了屋，還貸款購進一間鐵皮工廠廠房。目前算是過著小康的日子。

　　我不知道小舅子每年急急的寄玉荷包給我們，是否內心含有感恩的心情？但我們每次收到一大箱的玉荷包，內心總是充滿著感激。一大箱的玉荷包太多了，我們全家吃不完，於是便轉分一部分給親朋好友，讓大家也分享我們的好心情。

　　　　　　　　　　（『聯合報』家庭版）

薛雲國畫作品

由伊媚而想起

　　每天，很多朋友寄伊媚而給我，有各種訊息、有各種精彩的影片，我都一封一封仔細的觀賞。若有必要，也即時回覆。

　　伊媚而真是人類通訊史上的一大變革，帶給人們的便利性，無可言喻。

　　天涯海角，世界各地，只要坐在電腦前，手指在鍵盤上輕輕一按，你的訊息立即為對方接收。

　　這是電腦未發明之前，怎麼想也想不到的。

　　以前寄個信到國外，至少十天半個月。

　　如今三、五分鐘即可世界一個來回，如果對方立即回覆你的信。

　　甚至還可用什麼史蓋普（skype）的，不但聽到聲音，還可以見到對方的面孔、表情。

　　太神奇，太不可思議了！

　　電腦發達的時代，你要什麼訊息，只要上網一查，它立即給你一堆答案。

　　你想看書、看影片，電腦上相關檔案一打開，各種書本、影集、影片一堆供你選擇。再也不用上書局、商店去選購了。

　　你要買什麼東西，電腦購物區一點，各種五花八門的商

品一一跳出，供你盡情挑選。

　　你想旅遊，你想交友，你想寫部落格、臉書和朋友互動，你想打麻將、下棋、玩電動，電腦通通滿足你的要求。

　　電腦萬歲，我們如今一刻也離不開電腦！

　　發一個伊媚而給我吧，表示現在是午夜凌晨，而你還守在電腦前，還沒有睡意！

名畫家鄭碧芳國畫作品

白　髮

什麼時候，臨鏡而立，你發現你已滿頭白髮。

驚訝、憤怒、躁鬱不安，到最後不得不接受的無奈。

一位詩人形容這最後不得不接受的無奈為「小菜一碟」。

形容得真好啊！

頭髮之由黑轉白，雖與年歲有關，但也因人而異。

有的人三十歲以後就漸生白髮，有的人五、六十歲白髮才珊珊來遲，也有人七十歲了，頭上仍是烏黑一片。

當然這和個人的體質、生活環境、飲食習慣等都有很有大的關係。我曾認識一位八十多歲的老者，見他頭髮還不怎麼麼斑白，一問之下才知他從小在漁塭長大，或許天天吃魚的關係。

我則四十歲以後就不太敢照鏡子，因為原本烏黑亮麗的頭髮，已一根一根豎起白旗。

五十歲以後，白旗林立，幾乎攻佔半座山頭，令人焦急、氣憤、無奈。

無法戰勝它，那麼就暫時欺騙自己。

去商店買染髮劑，去理髮廳理髮兼染髮，抓住青春的尾巴。

然而欺騙得了別人一時，終究無法欺騙自己。

　　年紀大了，不只頭髮會變白，皮膚也不再光滑潤澤，甚至臉上長滿斑斑點點，身材也會逐漸變形，這些都是無法隱瞞的。

　　染髮何用，徒傷身體而已。

　　染髮何用，何不讓「智慧的象徵」一見天日？

　　或許哪一天，你在街頭巷尾碰見一位滿頭白髮的老者，他向你打招呼，你不要訝異，因為那個人就是我。

名畫家馮蓮英國畫作品

我愛旅行

　　我愛旅行，到世界各地去旅行。

　　古人說：「讀萬卷書不如行萬里路」，我深有同感。

　　年輕時，為生活打拚，沒有足夠的金錢與時間到處旅行，那是沒辦法的事。

　　四十歲以後，我稍有經濟基礎，深感歲月不饒人，於是心中暗下決定，往後每年至少都要出國一至二次，以增長見聞，以免將來老了後悔莫及。

　　另一個最大原因，我愛寫作，而寫作不能憑空杜撰，只有經常出外旅行，汲取新知，尋找靈感，寫作才能有活水，才能寫出精彩的作品。

　　我今年已經六十多歲了。二十年餘來算算我大約已出國五、六十次以上，到過的國家約有二十幾個。近者諸如中國大陸、韓國、東南亞的越南、柬埔寨、泰國、馬來西亞、新加坡等國家，遠者尚包括美、加、澳洲、土耳其、俄羅斯、東歐匈牙利、捷克、奧地利等諸國。當然中國大陸是去最多次，一則它離我們近，語言相通，地大景點多，可以一去再去。不過也有人說，去中國大陸不算出國，因為兩岸同屬一個中國。若此，我出國的次數就人人減少了。

　　每到一個新的國家或景點旅遊回來，我總是不能讓自己

空手而歸，至少要寫一篇報導文章或幾首詩歌。如此這般，久而久之，習慣成自然，如今只要我出去旅行，一定靈感滿滿，經常就在旅遊途中，即時創作，返家後再稍為整理一番，即能拿出投稿。

　　到目前為止，我已出版了幾本著作，檢視內容，大部分都是我的旅行心得、感想，我慶幸我當年的決定是正確的。

　　前兩年我已從服務近三十年的工作崗位退了下來，從此我有更多的時間出外旅遊。不論是國內或國外，只要有機會，我一定保握，絕不錯過。想想人生短暫，自己還有幾年時間能隨心所欲的利用呢？

　　我愛旅行，是的，再過幾天，我又要參加一個旅行團到一個陌生的國家去旅遊了，我期待著。你呢？

　　　　　　　　　　　　　　　　（『新文壇』季刊）

相　簿

　　相簿是貯存回憶的地方，相簿也是令人驚喜與感嘆的地方。

　　每次翻閱置放於書桌底下，那幾十本的相簿，內心總是五味雜陳。

　　翻開早期的相簿，看到一對小兒女，當年尚是三、四歲的情景。那年他們都是那麼小，那麼活潑天真可愛。有一張女兒蹲在地上哭得很傷心的照片，原來那是我們全家去某景

區旅遊，女兒走不動了要我抱她，我卻不理她，她賴在地上大哭，我則趕快拿出相機把她的表情照下來。那張照片洗出來後，女兒很不高興，大家則一直戲弄她。

　　另有一張照片，兒子穿著短褲上衣，站立斜倚在河床上的一顆巨石上，面露微笑。我戲稱他為「小帥哥」。這張照片我後來給

民國 70 年左右攝於高雄火車站前
（左起：姪女、兒子、女兒、妻子）

它配了一首詩，放入一本自己出版的書上，見者無不稱讚。

如今他們都已超過三十歲了，比我當年帶他們出去玩的年紀還大。時光流逝之速，能不令人感嘆！

幾十本相簿，一、兩千張照片，記錄了我們全家當年歡樂相處的時光。也有很多照片，是我到世界各國旅行時所攝，每次翻閱，時光彷彿就回到從前，令人懷念。看看那時候的自己多麼年輕，富有活力。如今則鬚髮漸白，垂垂老矣！

隨著歲月的流逝，也很多相片中的人物都已不在。他們有的是親人，有的是故友，有的是師長。遙想當年和他們相處互動的情景，不禁黯然神傷！

相簿是貯存回憶的地方，相簿也是令人驚喜與感嘆的地方。

妻子與一對兒女在三十年前攝於阿里山郵局前

訃　　文

接到一張遠方寄來的訃文。

打開一看，嚇了一跳，竟然是一位遠房親戚的大兒子去世，年僅五十三歲。

他的名字叫阿文，我努力的回想，在一些親友的婚喪喜慶裡似乎見過他，但因都是匆匆見面，未能詳談，竟然對他沒留下些什麼較特殊記憶或印象。

打電話前去詢問，為何年紀輕輕即撒手人寰？

肝癌，從發現到到去世僅僅二十餘天，留下年老雙親、嬌妻、一對女兒，情何以堪？

現代的人得癌症的機率為什麼那麼多？

肝癌、胃癌、喉癌、膽癌、腎臟癌、腦癌、乳癌、子宮癌、脾臟炎、膽囊癌……

啊！真是無所不癌。

是空氣污染？是飲食不潔？是飲酒過度？是工作操勞？

現代人享受各種科技發達帶來的便利，同時也要相對付出身體遭受侵害的風險。

現代人享受各種美食帶來的口慾，同時也要承受胃腸無法消化負荷的病變。

世道險惡，人心不古，小心病從口入啊！

　　還有很多很多你無法預料的風險，諸如環境污染、細菌病變、輻射問題等等。

　　若不想提早和親人說再見，最好平常就要注意身體，自求多福。

　　慾望少些，脾氣緩些，步調慢些。不經常熬夜，多運動，多喝白開水，多吃蔬果。總之，時時不忘養生之道，善待自己的身體，身體才會回報你。

　　否則，下一次可能是別人接到你駕鶴西去的消息。

文定之喜：男方親屬全體合影

讀　　史

我喜歡讀史，讀中國五千餘年來歷朝歷代的歷史。

那一個個君王，有的英明天縱，勵精圖治，仁民愛物，開創新局，把國家治理得井井有條，一片中興氣象；有的則凶狠殘暴，泯滅人性，昏庸懦弱，誤聽讒言，把國家帶上覆亡的路上。

那一位位文臣武將，有的憂國憂民，不眠不休，死而後已，令人敬佩。有的跋扈殘暴，狐假虎威，貪財愛色，令人痛恨。

還有那一場場戰爭，血肉模糊，驚心動魄，造成了多少荒郊枯骨，陌上離愁？

其它諸如宮廷鬥爭，豪傑起義，民間奇案，俠客美人等等，都讓我讀得津津有味。

一段段歷史，就是一個個最好的教材，讓

人省思。

　　然而愚蠢的人類，卻經常無視歷史的教訓，一再複製歷史，能不令人浩歎！

　　只要到書店走走，我一定先注意書架上有沒有新出版的史書？若感覺值得閱讀，立即購回不眠不休閱讀，直到閱完全書為止。

　　由於對史書的喜愛，同樣的我也喜歡觀賞一些古裝的大型連續劇，諸如「大明王朝朱元璋」、「貞觀長歌」、「三國演義」、「隋唐演義」等等。近幾年來，中國大陸方面拍了不少。我若前往大陸旅遊，有機會一定到販賣店尋找，買回一大堆慢慢欣賞。

　　至於世界史方面，由於國情不同，讀起來沒有同理心，也就引不起我多大的興趣了。

圍　巾

　　圍巾圍在脖子上，冬天使人感覺溫暖。

　　有時候溫暖的不止是身體，還有內心。

　　每次打開衣櫥，無意中瞥見那一條圍巾，總讓我想起多年前的一段往事，溫馨的記憶隨即湧上心頭。

　　那一年冬天，我前往重慶旅遊，利用機會順便拜會幾位成都朋友。朋友熱忱的在一家百年老鍋貼店宴請我。雖然菜色不算豐盛，但因彼此一見如故，餐宴中倒也相談甚歡。

　　餐後告別，其中一位朋友怕我人生地不熟，堅持以步行送我返回不遠的住宿旅店。我們相偕在十一月冷冷的晚風中走著。

　　由於夜晚的氣溫已降至攝氏十度左右，我的脖子感覺十分不舒服。恰好見到路旁有小販正在販售圍巾，於是不自覺的前往選購。

　　正當我挑中一條欲掏錢付款時，這位朋友立即攔下了我，堅持由他她付款。一番爭執，最後我不得不接受她的好意。

　　圍上了圍巾的同時，也圍上了她的心意，讓我感覺特別溫暖。

　　就這樣，這條圍巾陪我走過十一月成都街頭冷冷的寒

冬，陪我於次日一路搭機返台。

　　事隔多年，如今那位朋友已不再聯絡，但每次打開衣櫥，瞥見那一條圍巾，總讓我的全身不由得升起一股暖意。

　　　　　（廣東『清遠日報』副刊）

新娘陳彥安與廖潔馨合影

植　　牙

拜現代科技之賜，如今植牙已成為診治牙齒的主流。

記得大約十年前，植牙技術剛剛起步，要植一顆牙至少要耗費半年以上的時間，且費用不便宜，植一顆約在六至八萬甚至十萬以上。如此耗時又花大錢，植牙除非萬不得已或你真的有錢，否則還不是一般患者的選項。

這幾年隨著植牙技術的成熟與普遍，材料費的降低，植牙已較為患者接受。

筆者曾有兩次植牙的經驗，感受大大不同。

第一次植牙是約在十年前，左上方一顆牙齒掉了，掉牙旁邊的幾顆也有問題須要同時整治。醫師建議植牙較一牢永逸，我無可選擇只能咬牙同意。記得那次植牙手術從下午兩點開始，直到四點多才完畢，植牙過程可用「恐怖」來形容，因躺於椅子上，感覺醫師不斷用電鑽在鑽你的牙床，甚至用搥子敲打，敲到都快腦震盪了。術後傷口流了兩三個小時的血水才止，臉頰更因而浮腫極不舒服。

經過這次「小手術」後，又持續每個禮拜一次的診治，前後花了半年多的時間才全部結束療程。算錢時醫師說我遠道前來就診，給我打几折優待，總共收了我約十二·二萬元。

第二次約在三年多前。右上方三顆牙齒同時掉落，醫師

也建議植牙。我根據上次植牙的經驗推算，植三顆牙至少要花掉二十萬以上，且療程更不知要拖多久？醫生說三顆算你十萬就好，三個月內即可完成。他進一步解釋，如今植牙使用「微創」手術，植一顆牙約花不到一個小時，過程不會很不舒服，甚至讓你無感。費用一顆五萬，三顆連在一起做，中間那顆不用植，到時製作三顆相連的牙齒套上即可。原本這顆要加收一萬，但因你是老客戶就免了。

　　果然，第二次植牙就如醫師所說的，當我還沒感到很難受時，療程已大功告成。往後經過幾次複診，不到三個月就把三顆牙全部裝妥，令我大大的鬆了一口氣。

　　原本右上方一次三顆牙齒出問題，令我痛苦萬分。不但缺牙開口十分難看，且吃任何東西都要小心翼翼，以防牙齒掉落（起初用黏的）。植好了牙，不但美觀大方，恢復年輕自信，且咀嚼任何東西都不成問題。原本我不敢碰的甘蔗也能大啃一番，令我十分滿意。

　　植牙，牙齒的救星，我大大的讚美你。

（『新文壇』季刊）

愛恨甘蔗

甘蔗是寶島台灣的特產，汁多味美，相信很多人都喜歡拿一根在手上慢慢啃，其味無窮，包括我。

最近幾年來，我卻對它充滿愛恨情仇，何也？

小時候住家附近的山坡平地上，種植了一整田的白甘蔗，待到夏季甘蔗長大後，我和鄰居阿川經常趁著放牛的機會，前往偷摘幾根當場痛快的大啃特啃。白甘蔗是屬於製造沙糖用，莖幹瘦小，啃半天皮也吃不到幾口，但當時對我們來說，也算是聊勝於無，味道甜美。

長大後自己有了經濟能力，前往水果攤選購水果，我經常拎回一大包削好的甘蔗，有時間就啃一根。久而久之，家人都知道我喜愛啃甘蔗，也經常買回一包包，讓我大快朵頤。

年紀漸長，齒牙動搖，再也不復當年痛快的一根在手，其樂無窮了。尤其前一陣子，右上方兩顆牙齒崩解，經醫師治療後暫時黏合，再也不敢碰甘蔗，視它們為牙齒殺手。然而看著一根根自己以往最愛的東西，現在卻只能乾瞪眼，其內心痛苦可知。

或曰，啃不動何不喝甘蔗汁？然而，兩者吃法不一樣就是不一樣，無可取代。

前兩年決定整治牙齒，將幾顆爛牙一一拔除，改以植牙。

拜現代科技之賜，如今我又能啃甘蔗了，雖然冒一定的風險。

　　啃了一輩子甘蔗，自己卻從未種植過甘蔗。日前在岳父家中發現他偶爾丟在水桶裡的幾根甘蔗竟然冒出芽來，於是就把它們帶回，種植在頂樓上的大花盆內，每天澆水看著它們一寸寸長大。我想像，再過幾個月，我也能吃到自己種植的甘蔗，那種汁味，想必是更為甜美吧！

幸福的眼光

手　稿

　　手稿者，詩人作家所寫的稿子也。以往稱詩人作家寫作為「爬格子」或「筆耕」，這兩種都是形容詩人作家在方格稿紙上一字一句奮戰的情形。

　　大約二十年前，電腦尚未發明或大量使用，作家詩人投稿一定要用稿紙書寫，當時手稿泛濫，人們也不太重視。近二十年來電腦大量使用，百分之九十以上的作家詩人都在電腦上以鍵盤代替筆耕，手稿也就越來越少了。

　　由手稿中的字跡或多或少可以了解作家詩人的性別與性格。女作家詩人的筆跡一般較細小娟秀，男作家詩人則較粗獷豪放。有些作家稿子一改再改，從原稿中你可以了解當時他（她）創作時的認真與艱辛。有些作家手稿字體工整，一筆一劃井然有序，從中你也可猜測作者為人處事，一定是位謙謙君子。

　　手稿難得，而知名作

名詩人余光中贈予作者的手稿

家詩人的手稿則更為可貴，獲得者出於對作家詩人的景仰，往往視如珍寶收藏。當然手稿也不限書寫的文章，有時一張問候的紙條，一幅簡單的字畫，也都有收藏的價值。

由於作家詩人的手稿越來越不可得，近幾年來也頗引起一些政府相關單位的重視。積極主動向詩人作家索要手稿，以做存檔資產。這是件好事，相信也是甚多詩人作家樂見的事。可是筆者認為這遠遠不夠，政府相關單位應當更積極輔導作家詩人出版著作，給予資金的補助，如此才能使更多的作家詩人有創作的動力。

由於筆者曾長期主編一本詩刊，十多年前筆者已發現手稿有越來越少的趨勢，於是就費心收集整理一些海內外較知名詩人的手稿以保存。目前已整理出三大本約兩百多位詩人的手稿。偶爾拿起這三大本的手稿簿翻閱，發現很多詩人都已作古，望稿思人，內心悵然。而由於詩人已作古，他們生前的手稿也就愈發顯得珍貴。

前一陣子，接到國立中央圖書館來函，希望我能捐贈一些作家詩人的手稿給他們珍藏。我費心的收集了一些寄去，至於最衷愛的三大本手稿簿則不願捐出。或許待我更老了，老得捧不動它們，再捐吧！

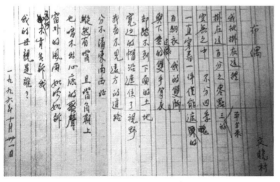

名詩人文曉村手稿

參加一場新書發表會後

參加一場新書發表會後，感覺自己真的好幸福、好幸運，同時也對作者致上深深的感佩與敬意。

邀請函中說，作者今年即將九十高齡，這麼大的年紀還能寫書，這點就讓人萬分感佩；而函中又說，作者是一位盲者，這更令人好奇，一位失明者如何從事創作，且幾十年來不停止，成果豐碩。

我決定準時參加，前往一探究竟。

下午兩點，發表會開始時間已到，只見台下坐滿了人，約五、六十位。主持人是一位長期為文學界犧牲奉獻的女士，她首先介紹今天的主角，這位長者正默默地坐在台上另一側輪椅上，臉上慈藹中略帶笑容。緊接著介紹幾位為此書作序及出版的學者、專家擔任引言人，接著再按簽名簿一一「點名」。排除萬難前來參加者，不乏文學界知名人士，也有一些年輕學生慕名而來。點完名

主持略帶感慨的說：「原本我預計能來個二、三十人就不錯了，想不到來了這麼多人，等一下恐怕慶生蛋糕太小不夠分……」

發表會在溫馨的氣氛中進行，幾位學者專家紛紛上台，講述對作者此次新書內容的看法與出版因緣。在講述中，只見作者身旁一位年輕人不時向他附耳低語，大概是在徵詢他的想法與意見吧。幾位學者、專家講完了，主持人向來賓介紹這位年輕人，原來他是作者的孫子，長期以來一直擔任爺爺的秘書、左右手。

大約半個多鐘頭，發表會上半場結束，主持人請大家提問，我立即提出了一個問題：「請問作者在失明三十多年來，是如何從事創作的？創作過程中有碰到任何困難嗎？」主持人說，這點他的孫子最清楚，請他回答吧。

年輕人說：「我爺爺是五十多歲才因視網膜病變而失明，故他不會電腦打字，平常創作都是用筆一字一字寫在特別設計的稿紙上，再由我用電腦打字完成，朗讀給他聽，不斷進行修潤……」「有時寫著寫著筆沒有水了，但他不知道，仍繼續寫，結果……」「碰到資料尋找，我會先上網抓下來，再一字一字唸給他聽……」「他平常就是收聽收音機，了解時事動態及其他訊息……」

在年輕人回答的過程中，「爺爺」始終保持淡定的微笑。看不出他的心情起伏。但拿在我手中的簡介資料單中，卻有這樣的文字：「……一九八〇年，因視網膜病變而失明，幾乎萬念俱非，後重拾寫作的信心，歷時六年，六易其稿，完成六十一萬字的長篇小說……失明後在惡劣的環境中，寫作不

輊，展現過人毅力，及創作的熱情。他非但對自己的人生永不向命運屈服，對文學亦如是。」

　　發表會進行期間，尚有兩筆令人感動的捐贈。原來是有讀者感動於作者這種堅毅的創作精神，透過他人捐贈給作者兩筆各約一萬多元台幣的贊助款，但「爺爺」堅持不收，最後轉贈給出版社老闆購書寄贈圖書館、學校等單位。

　　新書發表會歷時一個多鐘頭終於結束了。領了一個壽桃，走出大門，我長長的噓了一口氣。

　　相比於作者，我們真的好幸福、好幸運，不是嗎！

　　這真的是一場十分溫馨、特別，令人省思的新書發表會。

愛在成長

戒菸經驗談

「戒菸？簡單啦，我一個月就戒了好幾次……」這是有關戒菸的冷笑話，也是一種自嘲。事實上戒菸之難易，如人飲水，冷暖自知。

我曾有幾次戒菸的經驗。

從高中起因青春期叛逆而偷偷背著大人學抽菸，後來上癮，我斷斷續續抽了二十多年的菸，最多時曾每日一包多，無法想像沒有菸抽的日子。

四十歲後，我下決心要戒菸。不是各種菸害的廣告打動我，而是我的身體不斷向我提出抗議。

那時抽也難過，不抽也難過，真是兩面「不是人」。抽菸難過是因身體嚴重發出警告，每抽完一根菸，感覺喉嚨腫痛，胸悶不已，極不舒服；不抽菸難過是因菸癮來了，感覺體內有無數隻螞蟻不停爬著，只有吸上兩口才能讓它們暫時停止躁動。

進退維谷，如何是好？理智告訴我，為了身體健康，我一定不能再碰那惡魔了。然而每當午夜夢迴，菸癮來襲，我又止不住誘惑而淪陷。曾經多次在菸灰缸或地上，到處尋找別人丟棄的較長菸蒂解癮，隔天起床又痛罵自己！

經過一年多的煎熬，最後我終於成功了。如今我六十多

歲了，已二十多年沒碰過香菸。

　　經常在街角見到一些青少年學生公然吞雲吐霧，好像見到當年的自己。真想上前勸導他（她）們，但怕引起誤會而止步，只能在內心暗暗為他（她）們惋惜。何時他（她）們才能真正長大，了解抽菸的可怕？

　　　　（恩主公醫院第一屆無菸征文創作競賽佳作）

廖盈閔與陳彥安的同心圓

香菸酒與檳榔

香菸酒與檳榔，都是壞東西。

香菸吸多了會致癌，這是大家都知道的。老菸腔身上總是散發一股菸臭味，令人厭惡，不願與之接近、交往。二手菸會影響別人健康，人人避之惟恐不及。吸菸有這麼多壞處，菸價年年漲，如今政府又立法嚴格取締，這裡不能抽，那裡也不能抽。抽菸者好像罪犯小偷般，只能偷偷的躲到垃圾桶邊吞雲吐霧。抽菸抽得如此窩囊、如此沒尊嚴，但為什麼仍有那麼多人死不悔改，甚至經常看到有些婦女、學生也在街頭公然抽菸，菸蒂丟得滿街都是，讓人痛心厭惡之極。

酒也是，喝酒容易誤事，這是古人早就警告我們的。酒喝多了神智不清，大吵大鬧彷彿變了個人，讓人瞧不起、鬧笑話。酒後開車撞死人，自己撞死了沒關係，自己沒死別人卻因而喪命，良心何安？賠錢、被關，人生一輩子彩色變黑白。但偏偏就有那麼多人不知或無視別人慘痛經驗，仍常因喝酒出事上了社會版頭條版面。

大部分的酒都酸辣難喝又貴，可是宴席上為顯示主人的好客，總是頻頻勸酒，好像不喝就是不給主人面子，這我也

實在不懂。有人說詩人好酒，並舉李白斗酒詩百篇，水中撈月傳為美談。其實都是胡扯，那是寫小說的人美化的故事。喝酒過量神智不清，何能構思完篇。喝酒茫茫，乘船跌入水中淹死，這才是水中撈月的真相。

檳榔吃多了會得口腔癌，長期咀嚼檳榔牙齒容易崩毀脫落，未崩毀脫落前，嘴巴牙齒嘴唇紅黑一片極為難看。可是為什麼台灣街頭，幾十公尺就有一攤檳榔攤，且好像倒閉沒生意者不多，新開幕者倒不少，這我也實在不懂。基於好奇心，某次我也拿起一粒朋友請客的檳榔放入嘴裡咀嚼，不到五秒鐘我就立即吐出來。那種辛辣苦澀的滋味，為什麼有些人一天要吃上幾百塊錢，我也實在大大的不懂。

香菸酒與檳榔都是壞東西，嚴重損害國人身體健康，政府理當嚴格取締禁止販賣。可是政府卻偏偏帶頭成立菸酒公賣局販賣，也無效管理滿山遍野的檳榔樹。這我就不僅是不懂，且非常的不滿。

感恩要即時

　　報載，一位老婦人因偶然觀賞了一齣名為「船過水無痕」的歌仔戲，突然想起童年時因感染破傷風，經小鎮醫師放棄治療，眼看生命岌岌可危。幸賴當地一位修女極力聯繫，將其轉送至城市大醫院救治，終於由鬼門關撿回了一條命。

　　此事已經是數十年前的往事了，雖然船過水無痕，但老婦內心深處，對此事一直是無法忘懷的。只是年代久遠，人事已非，如何將感恩想法付諸行動，令人躊躇。如今看了這齣歌仔戲，終於喚醒她的內心，決定不再等待，讓想法付諸行動。

　　是的，由老婦這則令人感動的新聞，我們也可想想，從小到大，我們曾受到多少人的幫助，讓我們因而度過種種難關。對於這些曾經幫助過我們的人，我們是否適時的表達過我們的感謝呢？

　　以筆者為例。童年時筆者曾有一次死裡逃生的經驗。那是在就讀小學二年級的時候，某天我正在家後院的一口深井以水桶汲水，因力氣用盡，差點被水桶的重量拉入井裡。幸賴隔鄰的一位大嫂經過，適時地拉了我一把始倖免於難。對於她的即時救助，我一直感激在心，但因當時年紀小也不知如何表達。如此這般，船過水無痕。如今，這位鄰居大嫂早

已作古，我的感恩行動就再也無法付諸實現了，豈不令人憾恨！

又有一次，多年前筆者前往北京參加一個會議，在結束會議由北京轉香港返台時，因誤記飛機起飛時間，導至趕到機場時已無法趕上班機。當時筆者因孤身一人且缺乏經驗，至為惶惑。悻悻然前往櫃台詢問服務人員，一位櫃台小姐很熱心的幫我解決問題，才使我放下心中一顆大石。對於那位服務小姐我至為感激，當下記住大名，返台後即刻寫了一封信表達感謝之意。雖然不確定她是否能收到此信，但至少我已即時付諸行動！

真的，感恩要及時，不要等到哪一天，你想感恩時，對象早已作古或無法找尋，那豈不遺憾終生呢！

岳父種的冬瓜

　　岳父種的冬瓜，經過幾個月來陸續的採收，早已堆滿儲藏室一角，估計約有四、五十個之多。望著堆得像一面小牆的冬瓜，岳父不免有些擔心，如何「消化」這些東西？

　　說這些冬瓜是岳父種出來的，是，但也不是。岳父今年已八十多歲，早已不務農多年。但因家居附近仍有一些土地，子女在外打拼無暇照顧，他老人家只好每天幫忙巡視一番。幫園中果樹澆澆水、除除草這類簡易的活動，算來也是健身之道。而這些冬瓜苗就是無意中從土地裡鑽出來，岳父沒把它們除去，任其在園中甚至田埂上孳長，不久就開花結果，一粒粒冬瓜，初始是小小的，逐漸越長越大，重者約十來斤，小者也有四五斤。

　　這些冬瓜，由於生長期未刻意照顧，故長相有些不良，有些甚至有蜂叮蟲咬的痕跡。岳父有次曾挑了幾個，請人用機車載著到市區自助餐店推銷，但僅賣得極低的價錢。從此他也不賣了。但想送人，似乎也無人可送，因左右鄰居都有自己的田，可能他們也有相同的困擾！

　　那天我和妻開車由北部回台南探視他，某次談話中他透露著憂慮，妻馬上說：「阿爸，您免煩惱，我來幫您處理。」於是在我們北返時，將冬瓜一粒粒搬到車上，載回後分別一

一轉贈親朋好友。那陣子由於連續兩個颱風來襲，菜價大漲，受贈者人人高興、感激。適逢中秋佳節即將來臨，有幾位經常接受妻贈送的好友，還特意去台北市名店買了月餅囑咐我們帶回去給他老人家吃。當然我們也將大家的心意，適時以電話轉知他老人家，顯然他也無比高興。

　　看來，岳父種的這些不起眼的冬瓜，賣出了很好的「價錢」！

（『中華日報』副刊）

岳父薛良飛攝於岡山月世界

來去台南

　　每個月，我和妻都要開車返回台南一趟，探視一下老岳父，並在那邊住上幾天，陪陪他老人家。

　　老岳父今年已經八十多歲了，卻自己一個人居住在台南某鄉鎮的郊區一棟獨棟別墅內。雖然身體尚佳，但終究年歲已大，旁邊又沒什麼左鄰右舍，萬一發生意外，後果很難想像。

　　老岳父有三兒一女，除了老么外其餘早已都各自婚嫁，各有家庭。妻是長女，嫁得最遠，跑到北部來。兩位小舅子分別居於高雄、屏東，老么五十多歲了卻抱定不婚主義，大家也無奈他何！他目前也在北部定居。

　　岳母去世得早，在她五十多歲時就因胃癌病逝。老岳父神傷良久。那時他也還不到六十歲。經過一兩年，一度有人幫他作媒，也確實後來他和一位年約四十多歲的女士來往，甚至還同居一段期間。但因三位兒子的不太諒解，也感覺女方的動機與背景不單純，最後決定放棄。從此老岳父就一個人生活。四位兒女偶爾回去看看他。

　　老岳父住的獨棟大別墅是由大兒子所有。當年大兒子大學畢業，考進某大私人企業公司任職。沒幾年因緣際會，和兩位同事向銀行貸款合購了幾甲的漁塭地。後來因為沒有農

民身份，兩位同事紛紛退出股份，由他獨攬。撐過一段被銀行逼貸的日子後，大兒子將其中三分之一漁塭地賣出，居然還清了所有貸款。剩下的三、四甲土地憑空而得。由於後來大兒子又到一家建設公司任職主管，他就利用機會在自己的土地上蓋起了這棟別墅。

　　老岳父小時候生長於日據時期，求學期間，學業優良。但由於家境窮困，十七、八歲就離開學校和大人出海至海峽對岸走私貨物，據說賺了不少錢，但老岳父十分誠實，把所有金錢全都交給了後母保管。及至台灣光復，工商業快速發展，老岳父也順利進入一家製造漁網的公司服務。老岳父靠著苦幹實幹的精神，經過十多年，由廠裡一名普通員工升到廠長一職。老岳父在這家公司服務了二、三十年，直到後來這家公司十分賞識他的董事長不幸去世，公司內部發生人事傾軋，最後宣告倒閉，才不得不離開工作崗位。

　　綜觀老岳父一生實在是辛苦、不幸，幼年喪母，中年喪偶。如今垂垂老矣，卻也不願依賴兒女，甚至還整日為兒女的前途與家庭幸福操心。每次我們要回去看他，先打電話告訴他，他就喜形於色的幫我們把房屋先打掃乾淨，並打開平日深鎖的大門歡迎我們，讓我們夫婦倍感不安。

　　「喂！喂！阿爸，我們明天要開車回去看您……」聽，客廳裡，妻又在打電話了。

投　稿

「抱歉，這篇文章無法採用，歡迎往後繼續支持惠稿。」

「您這篇文章很有啟發性，我們決定採用……」

我喜歡寫作，也喜歡投稿。投稿有兩個結果，採用、退稿。

採用固可喜，退稿也不用灰心。只要針對缺點檢討，力求改進，並揣摩主編的喜好與刊物的要求。相信下一篇的留稿率就會大大提高。

我投稿的歷史是很早的，大約在就讀小學五、六年級時就曾投過稿。

那是大哥所訂閱一本專門刊載農業知識的雜誌，裡面文章我一點也沒興趣。不過雜誌最後面有一個「解頤集」專欄，專門刊登一些小笑話，我是每期必讀。讀久了，有一次聽到一個笑話，就依樣畫葫蘆的寫了一篇大約幾十個字的稿子寄過去，想不到不久竟刊出來了，且寄來稿費。

初中、高中由於功課壓力大，似乎沒有投過稿。

上了大學，時間比較自由，心智也開始成熟，小時候寫作的夢想又被喚起。於是又提筆開始塗鴉，寫點新詩，寫點散文，但都不成熟。偶爾在一些小刊物發表而已。

記憶較深刻的一次，大學二年級某日閱報，電影版有一

則消息，徵求對某部電影的影評，限兩百字內。由於我恰好剛看過該部電影，於是就絞盡腦汁寫了一首十幾行的新詩去應徵。寄出後第三天就被刊登出來，同時接到一筆不錯的稿費。

　　大學畢業服役期間，由於軍中只能見到「青年戰士報」（後改為青年日報），於是就經常向該報投稿，那時該報有一個專欄「詩對伍」，每兩星期出一次半頁版面，專門刊載新詩與評論，我的作品經常出現其中。

　　離開軍中在社會就職，我經常投稿的刊物是服務單位每月出版的一本專業雜誌。另也向一些報紙、期刊投稿，雖然經常被退稿，但我一笑置之，繼續努力。成功固可喜，失敗莫灰心。

　　兩岸開放交流往來後，偶爾我的一些作品，也被彼岸一些編者主動拿至報紙、期刊上發表。自己的作品能讓更多人看到，我自然欣喜。除了感謝那些朋友外，看來往後我更要加油努力了！

吃飯的記憶

談起吃飯的記憶，有兩件事，令我十分難忘。

這兩件事都發生在我前往大陸訪問及做客時。

一九九三年兩岸剛開放不久，某次我隨一個文藝團體前往河南鄭州做交流訪問。對方文聯很盛情的接待我們，晚上在一家大酒店宴請。由於已過晚餐時間，饑腸轆轆。不久一盤盤豐盛菜餚上桌，但始終不見有飯。沒有先吃半碗飯只吃菜，對我這個「呆胞」來說，肚子沒有飽足感，十分不習慣。但由於那是一種正式場合，自己也不敢開口貿然「要飯」。就這樣十分納悶的吃完全場。後來詢問別人，才知那種場合是不吃飯的，豐盛的菜餚，加上一些麵食、餅類，已夠飽足。

還有一次前往山東曲阜做客，友人在家中煮了一大桌菜，盛情待客。但也始終不見端飯出來。客隨主便，就這樣邊聊邊吃將近一個小時，肚子已撐得飽飽。正待找機會下桌，想不到此時，友人呼喚他的女兒出來，簡單吩咐幾句，他的女兒就出去了。不久開門進來，手裡提著幾碗飯，每人奉上一大碗。馬馬咪啊，我真的飽得一口也吃不下，反觀主人及他請來的一位當地作陪朋友，竟然將那一大碗飯吃得一乾二淨，令我傻眼，也不得不佩服他們的食量。

由於小時候自己家中就是務農，故對於米飯始終懷著一

種親切感。童年時每當飯吃不乾淨，碗中尚留有米粒時，母親總要告誡，將來長大會娶到「貓某」，害我們總是不得不將信將疑，小心翼翼的將殘留的米粒吃完。還有每當玩耍完畢，肚子餓極，此時一碗豬油拌飯，就是人間美味。

　　如今社會豐足，幾乎人人都有飯吃，但也不要太浪費，當思一粥一飯來之不易才是。

作者全家攝於台西鄉安西府廟內中庭

日行一善美麗島

　　日前，由鶯歌搭區間車至板橋火車站，欲轉搭捷運至台北。下了車正匆匆行走時，見一位老婆婆正在向一對年輕情侶詢問：「我要去台大醫院，怎麼搭捷運？」只見那一對年輕情侶好心的跟她比了比方向。

　　過了約五分鐘，當我走到板南線捷運站手扶梯旁時，又碰到了這位老婆婆，只見她步履緩慢，一臉茫然，遂上前主動詢問：「老婆婆，您要去台大醫院嗎？」「是啊，是啊，不過車站怎麼和我上次來的完全不一樣，聽說還要轉車……」「這裡是板橋車站，您可能下錯車站了。」「喔，原來這樣。我從苗栗搭莒光號北上，聽到車上廣播可以搭捷運，就趕快下車，想不到……」「您到台大醫院做什麼？怎麼沒有家人陪您來？」「我是要去做手術後定期檢查，先前自己來過，想來應該沒問題才對……」「您今年幾歲了？」「民國二十二年生，今年八十三了。」「我也要搭捷運到台北，那您就跟著我好了。到台北車站我再帶您到另一個月台坐車。」

　　在板橋往台北的捷運車廂內，我和老太太相互聊著天，老太太說著她的子女、家庭狀況，苗栗的風景與政治人物生態等等，十來分鐘很快抵達台北車站。老太太十分健談，似乎意猶未盡。

　　下了車，我帶著她上了電扶梯，轉至另一個月台。抵達後請她在候車動線內排隊，並交待她等一下上車搭一站即要下車。老太太一直點頭，並向我致謝。

　　以上只是搭捷運偶然機會，順手幫人的一個小例子。當晚回家後，我將此事簡單的以文字敘述一下，放進手機 Line 的群組裡，想不到引起大家熱烈的迴響。除了十多人以文字或貼圖稱讚外，有兩位甚至還憶起當年他們曾偶而受人幫忙，卻至今難忘的小例子。其一：一位女士說她當年搭機由國外返台，只因在機上和鄰座的一位陌生男士聊了幾句，下機拿行李時，那位男士拿到自己的行李後，還一直等在她旁邊，要幫她拿行李，讓她很受感動。其二：一位男士說，當年他一個人由北京搭機返台，因事誤了班機，正當不知如何是好焦急萬分時，幸好一位櫃姐順利幫他辦妥下一班經香港返台的飛機，讓他感激萬分。

　　大陸作家韓寒曾在訪台後為文寫道：「台灣最美的風景是人。」是的，台灣人絕大部分都是十分富有愛心，樂於助人的。只是「為善不欲人知」，很多人行了善都保持緘默，好像怕自己一說出就變成「矯情」了。其實「為善」讓人知，除了讓自己更快樂，也可以「感染」別人。希望往後大家行善後多多相互「感染」，讓台灣成為一個處處有愛處處充滿溫馨的美麗島。

（『郵人天地』月刊）

快樂學唱詩

　　兩年多前退休後，生活過得較悠閒，每日無非看看書報、電視，偶而出門參加些文友餐敘活動，並每年安排三兩趟出國旅行，以增長見聞。

　　半年前某日，突接到一封招生簡章，原來是台北市某藝文社團將舉辦一個「風雅頌吟唱班」，歡迎所有社員報名參加。簡章中附有企劃書，說明上課時間、地點、授課內容與老師的資歷等等。由於上課內容為「講授詩詞曲文吟唱理論、教授古調今聲，配合國樂伴奏……」頗合我的興趣，於是決定報名參加。

　　開始上課了，或許是時間安排在每星期五下午，一般上課、上班族無法參加，故報名的學員並不多，僅十來位。授課者是中山女高一位退休國文老師，她先將為期十二周的課程內容發給我們，然後簡單自我介紹。她說從幼年讀書時，就醉心於古典詩詞，由於對音樂也略有基礎，後來乾脆自己幫這些優美的詩詞譜曲。幾十年下來，已譜了近兩百首的曲調，並策畫製作「風雅頌」CD 光碟及「長安吟」「風雅之歌」錄音帶。她說她長期擔任「搶救國文教育聯盟」的執行祕書工作，策劃過很多詩詞吟唱大賽，也曾經應邀至一些機關、學校教學授課。最後她勉勵我們，希望大家努力學習，讓詩

詞美好的花朵，也能綻開在我們的臉龐。

　　接下來幾周老師陸續教我們吟唱了一些基本調，諸如「福
建調」王維的〈鳥鳴澗〉，「宜蘭酒令」盧綸的〈塞下曲〉，「江
西調」岑參的〈逢入京使〉，「黃梅調」崔顥的〈黃鶴樓〉，「山
東古調」杜甫的〈蜀相〉，「天籟調」王昌齡的〈出塞〉等等。
這些基本調是流傳已久的古調，作曲者不詳，大抵是以流傳

作者與授課老師（右二）及二位同學合影

地方為調名。有些基本調較輕快，有些較深沉。老師說可視
詩詞的屬性而選擇其適合的曲調吟唱，並非一成不變。如此
幾周下來，老師教唱，有時也配合樂器伴奏或聽教學錄音帶，
大家學得頗有興趣與心得。

　　基本調學會了，於是老師又教授一些她自己譜曲的詩

詞，諸如：李白的詩〈山中與幽人對酌〉，杜甫的詩〈八陣圖〉，王維的詩〈九月九日憶山東兄弟〉，白居易〈輕肥〉，陸游的詩〈書憤〉，文天祥的詩〈正氣歌〉，范仲淹的詞〈漁家傲〉，李清照的詞〈武陵春〉等等。經過反覆吟唱，原本很不容易記住的詩詞，如今卻深印腦海中。有位同學說，假如當初在學校讀書，能有此事半功倍的教法，那麼應該會使更多學生喜愛古典詩詞吧！我也深有同感。

　　十二周的學習過程，在如沐春風的教學相長中度過。原本對古典詩詞吟唱毫無概念的我，如今也略懂一二，非常感謝老師的教導！當然學無止境，要想對古典詩詞的吟唱有更深入的了解與認識，往後還要更加努力學習。

　　　　　　　　　　　　　　　　（『中華日報』副刊）

我們的愛情

　　月河彎彎流過大地，月老盈盈笑望人間。啊，我們的愛情！

　　我們的愛情，經過四十年風雨的磨礪，已從河中沙粒逐漸變成了小石，再慢慢由小石熬成了珍珠。

　　也曾有過窮困。那年像荒年裡的農戶，我們的收穫總是應付不了支出；我們也像大漠的民族，過著四處遷徙的日子。從南方遷往北部，從這個租屋遷到那個租屋，處處為家處處無家。我努力打拼事業，從小公司基層員工幹起，曾經做過推銷員、夜市攤販等工作，每天為生活忙忙碌碌。妳則於照顧一對兒女之餘，四處尋找家庭代工，為了增加收入，往往工作到深夜！

　　月河彎彎流過大地，月老盈盈笑望人間。啊，我們的愛情！

　　我們的愛情，也曾甜蜜。猶記得那年在南部文藝班認識妳時，妳清癯可人的模樣，一下子就擄獲了我的心。我努力打聽妳的名字，妳家地址，然後展開熱烈的追求。一天一封限時信，猶不解相思。有一次在營區內衣冠不整打公用電話給妳，情話綿綿不斷，終於被巡營的憲兵發現逮到司令部的糗事，至今記憶猶新。

　　星期假日，我倆相偕出遊，踏遍南台灣的每個景點，留

下無數甜蜜的回憶！在某次高雄旗津夜晚海灘漫步時，我情不自禁的擁吻了妳乾冷的雙唇。天上的明月與群星，訝異的睜大著眼睛瞧著，轟隆的海濤聲傳來陣陣祝福，連棲息在防風林裡的海鳥，也以啾啾啾的叫聲訴說著喜悅心情。

　　月河彎彎流過大地，月老盈盈笑望人間。啊，我們的愛情！

　　我們的愛情，也曾苦澀。歲月流逝，年齡的齒輪在我們身上繞了又繞。人過中年，彼此習性的不同，興趣的差異，愈加無法妥協。一度我們生活上常起爭執，勃谿不斷。我抱怨著妳的改變，妳指責著我的固執，爭執總是不歡而散。

　　最後我倆同意各退一步，像樹與藤各自尋找天空發展，不再彼此苦苦糾纏。妳去學妳的國畫，妳去找妳的知心好友約會喝茶聊天，我十分贊同鼓勵；我退休後去社大學習各種課程，經常呼朋引伴四處旅遊尋找寫作靈感，妳也不再反對。

　　月河彎彎流過大地，月老盈盈笑望人間。啊，我們的愛情！

　　我們的愛情，如今像樹上圓圓的果實。經過春的孕育，夏的成長，秋日和風催促下終於成熟。你瞧，鮮紅鮮紅的兩顆蘋果，正高掛在枝頭！

　　雖然距離冬的凋零已經不遠，但我們懂得珍惜。只要高掛枝頭一天，就努力吸收陽光，樂享清風明月，聽看園中熱鬧的鳥叫蟲鳴。

　　或許那一天，當寒冬來臨，簌簌淒厲的北風，把我們從枝頭吹落，我們悲哀的無聲的掉落於大地的眠床上，慢慢地逐漸逐漸地腐爛。就讓我們掉落、腐爛在一起吧！在黑暗的泥土裡，我們緊緊相溶，再也分不清楚誰是誰了？

（『新文壇』季刊）

河馬阿河的悲劇

河馬阿河因搬遷載運不當，在車行途中摔車導至重傷，復因被安置進暫時棲息的水塘時，因起重機纜繩斷裂再重摔一次。終於在受傷後第三日清晨被發現喪命於水池內。電視新聞報導上，看著牠癱軟笨重的身體被從水裡撈起，感覺十分難過與悲傷！

河馬阿河是被那些唯利是圖的商人害死的。那些人平常靠動物賺錢，卻吝於善待牠們，只要動物年邁或生病出狀況，無法再為他們掙錢，即草草棄之不顧，令人齒冷。

河馬阿河是台中天馬牧場的明星級動物，由於去年我曾和妻前往天馬牧場一遊，故也曾和牠見過一面，至今回想，仍感溫馨。

天馬牧場占地約十數公頃，裡面養了幾十種動物，其中羊駝是它的招牌，我想絕大部份的遊客，都是衝著這些可愛的羊駝才買票進來的吧！剛

入園即見約二、三十隻各種顏色的大大小小羊駝，自由的在園區裡的草坪上活動，牠們不畏人，入園的人可以和牠們合影，餵牠們吃草等。

我們賞完了羊駝，隨即再參觀其他動物，諸如馬、牛、豬、鸚鵡、蛇等等。不久信步走到一口圍著柵欄的池塘邊，柵欄掛著一個解說牌寫著參觀對象為：河馬，但我們找了半天也看不到「馬蹤」。後來總算看到牠從水底冒出一點點頭顱。觀賞了半天，牠就是不浮出水面，令人頗為失望。正欲離去時，發現池邊另有一塊招牌，寫著每天餵食時間，一看錶距最近一次餵食大約還有十幾分鐘，於是乾脆就坐在池邊的大樹蔭涼處耐心等待。而和我們有相同期待的遊客也越來越多，約有幾十位。

隨著任教授筆力古表示，阿河（我是一隻母河馬，排第二次《圖片，取材自Youtube》

終於餵食時間到了，卻不見有任何動靜，到底是什麼情形？只好耐著性子再等等看。又過了幾分鐘，終於見到一位園區內的員工拿著一桶食物前來。只見他以俐落的動作，跨過柵欄，走近池邊，並口中喚著河馬的名字 —— 阿河、阿河，河馬先生一會兒即從水池裡探出頭來，並緩緩移動龐然身軀走出水底，來到飼養員身旁，張著大嘴巴索食，那種模樣真的可愛極了，大家紛紛拿起相機猛拍。

　　飼養員從桶裡拿出一團團飼料，塞進阿河的嘴裡，阿河的嘴可真大，食物塞進嘴裡好像進了無底洞一下子就不見了。如此不到幾分鐘，一整桶的食物即被牠吃光。吃飽的阿河好像很滿足的樣子，搖搖小耳朵，幌著幌著不久又鑽進水裡去納涼，只隱約露出一雙小小的耳朵和眼睛。此時遊客們也紛紛滿意的離去。

　　從報上的資料顯示，阿河今年才三十多歲，以河馬一般壽命約五十餘年算，牠應還是壯年，想不到卻因一次遷移行動，導至意外連連而身亡，真為阿河悲啊！

盈閎與潔馨

年方六十

　　年方六十，走過一甲子漫長的人生道路，曾經碰到過攀登重重高山的險阻，曾經經歷過跋涉條條大河的艱辛；也曾快意的在海上揚起風帆高歌，也曾喜悅地在相思林裡採摘甜美果實。如今俱已成過往矣！

　　年方六十，像一位水手長期闖盪過海上的大風大浪，如今返回陸地，終於可以好好歇息，每天睡到自然醒。早上徐徐散步至公園，觀賞草木青翠，靜聽蟲鳴鳥叫；中午小寐後喝杯剛泡好的烏龍，然後聽聽音樂，有時心血來潮，拿起尚未生銹的筆犁，在縱橫交錯寬廣的稿紙的土地上耕耘，偶有收穫，內心欣喜！夜晚則沉浸在天倫之樂與書香世界，直到疲倦才緩緩進入夢鄉！

　　年方六十，雖然頭頂上的黑森林早已嘩變，紛紛豎起白旗；原本如春風拂面的臉龐，也滿佈風霜；小犢般永遠用不完的體力也已不再。但展望前程，我還有好一大段路要走。語云：春耕、夏耘、秋收、冬藏。如今只是天涼好個秋，我實應加緊腳步，到田野裡去收割屬於我的人生美好果實！

年方六十，已是一艘經歷過海上大風大浪歸來的帆船，你還有夢嗎？當然，海上風浪雖然巨大，但我已不再畏懼。選擇一個風和日麗的晴日，我還想遠航，到世界的每一個角落，去欣賞異國風光，為我原本精彩的人生，再多添一抹抹美麗的色彩！

年方六十，走過一甲子人生的道路，回首來時路，俱已隱沒在層層霧靄當中。內心平靜，不悲、不喜、不悔、不懼。展望前途，迷人的遠方夕陽美景，正等待我邁開腳步，再次勇敢去追尋。

年方六十，是的，我只是剛踏過人生六十個腳印與步伐的「少年仔」，我還年輕，但心情沉穩堅定。

（『新文壇』季刊）

懷憶阿紅老師

　　阿紅老師今年元旦去世，享年八十餘歲，有南京詩友以電腦伊媚而告知，當時內心一陣感傷，腦海中頓時浮現當年去大陸訪問交流和阿紅見面暢談的場景，但也僅一閃而逝，終究時間已過去十餘年時光，記憶模糊。今日接到白頻主編寄來今年春季號的『燕山』雜誌，翻閱了白頻主編所寫「回憶阿紅」一文，文中細述她和阿紅老師多年交往的經過，對其樂於助人、提攜後輩多所描述。仔細讀完，內心充滿感動。遂有一股衝動，想狗尾續貂，也寫寫和阿紅老師的交往情形。

　　我和阿紅老師有兩次見面機會，一次是一九九三年我和『葡萄園』詩刊社長文曉村等多人，組團至重慶西南大學新詩所參加詩學論壇會議。那次會議阿紅也參加了，在最後一晚阿紅主持了一個惜別晚會，晚會上邀請詩人們上台講話或朗誦自己的作品，場面相當熱絡。中場時阿紅老師點名我上台，因我在由武漢至重慶的搭乘渡輪旅途中，在船上寫了一首記憶猶新的三十六行長詩〈在長江的渡輪上〉，遂上台不看稿的激情朗誦，朗誦到最後，為配合詩情，還雙膝跪地做痛苦哀傷狀。阿紅老師以及現場十多位老師紛紛叫好，大家鼓掌笑成一團。阿紅老師還有備而來的拿出錄音機當場錄音存證。

　　一九九五年九月，由中國詩歌藝術學會理事長文曉村發

起，我們又組成了一個九人的訪問團至東北及華北各省十大城市，做一個月整整三十天的交流訪問。九月十五日我們抵瀋陽，當日下午特別安排至皇姑區泰山小區阿紅老師住家拜會。兩年未見，阿紅老師風采依舊，熱忱不減，大家老朋友般相互熱絡交談，互贈詩集等。其間阿紅老師從書櫃中拿出一個錄音帶播放，原來就是九三年惜別晚會錄的，他妥善保存，想念朋友就拿出來播放聽聽，讓我們萬分感動。阿紅老師就是這麼一位惜情的詩人。

　　瀋陽與台灣距離遙遠，從九五年之後我就再也沒有機會見到阿紅老師了，只偶爾從詩刊雜誌中讀到阿紅老師的消息，想著他熱情爽朗的笑聲。如今阿紅老師走了，當年去他家中小坐的文曉村老師、秦嶽老師也走了。時光無情流逝，帶走了一切美好的回憶，思之豈不令人悵然！

（遼寧『燕山』文學季刊）

偷書賊

　　日前閱報，一位曾於某國立大學中文系肄業的蕭姓男子，竟連續七年內偷遍台灣南北各大書局，共偷得各種暢銷小說、財經、寫真集等數千本。他偷書不是自己閱讀，而是上網轉售圖利。由於是無本生意，便宜出清，故生意興隆。報上說他「月入十萬」、「夫妻已買兩棟房產、兩輛汽車及兩輛機車」，偷書偷到這麼有「成就」，確實是駭人聽聞。

　　偷書者往昔又有一稱呼曰「雅賊」，因為一本書頂多幾十、上百元，一些讀書人愛書人，上書店翻閱後對這本書愛不釋手，但摸摸口袋鈔票不夠，於是可能一時糊塗，就幹出了偷書「雅賊」的傻事。一般偷書者被抓到，書店可能給你兩條路選擇，其一罰你賠個數十倍書款以示懲罰，其二報警處理留下案底。

　　報上說，蕭男七年內四處偷書不知多少次，但僅被當場抓到過兩次，由於未察覺他是慣犯，最後法官都僅裁決罰款

了事。是啊，如今台灣的法律，殺人越貨都不敢判死刑，即使判了死刑也不敢執行，僅僅偷個幾本書算什麼？如此這般讓這位「偷書大盜」有恃無恐。報上說嘉義某書局曾經僅僅一天就被他三進三出偷了六十幾本書,「有些實體書店不堪損失，被偷到關門」。確實是聞所未聞，太囂張太離譜了吧！

所謂老天有眼，賊星該敗。此次這位「偷書大盜」終於栽了。警方按照監視器的可疑畫面，按圖索驥，終於找到這位「雅賊」的囤積贓物租屋處，共起出贓物三千多本各類書籍與 3C 產品等。這些贓物擺在警局裡等待認領，不知情的民眾入內辦事，還以為警局是在辦書展呢！

宋真宗趙恆的〈勸學詩〉:「富家不用買良田，書中自有千鍾粟;安家不用架高樑，書中自有黃金屋;娶妻莫恨無良媒，書中自有顏如玉;出門莫恨無人隨，書中車馬多如簇;男兒欲遂平生志，六經勤向窗前讀。」這是古人勉勵學子要努力向學讀書，讀好了書，將來考取功名，何愁吃喝穿住？何愁無嬌妻奴僕？而這則新聞恰成一個反諷，偷書偷到可以買車、購屋，真的好一個「書中車馬多如簇」、「書中自有黃金屋」啊！

後　記

　　《窗外的風景》是我的第二本散文集。(第一本散文集《童
年舊憶》是屬於主題式的散文集)

　　從就讀大學起熱愛文藝並嘗試創作,至今也有四十年的
歷史了。四十年中我創作的方向基本上以新詩為主,偶而心
血來潮寫點散文,由於零零散散自己看了也不是很滿意,也
就一直沒有整理,任其擱置,如此幾十年。

　　最近三年多來,由於我已退休,有較多時間利用,於是
就藉此機會,將幾十年來寫出的散文,經過一番汰選,整理
成書,希望有機會能結集出書,了卻一番心願。

　　收錄在本書中的一百餘篇散文,我又將它們粗分為四
輯,分別為「寰宇履痕」、「鄉景鄉情」、「窗外風景」、「感悟
生活」。除輯一的記遊性文章有幾篇較長些外,其餘的都是一
些精短的小品文章,屬於一些日常生活中的所見、所聞、所
思後之感悟。閱讀這些文章,讀者不需正經危坐,只要以輕
鬆心情對之。有空時隨手翻閱,能讀幾篇就算幾篇。有所收
穫固然好,沒有收穫也可一笑置之。

　　這些散文有大部分曾發表在兩岸三地及海外的報紙、期
刊,諸如台灣「聯合報」、「中華日報」副刊、「新文壇」季刊、
「郵人天地」月刊,大陸「清遠日報」副刊、「鳳梅人」月報,

新加坡「錫山文藝」季刊、泰國「中華日報」副刊等等。有些也收入一些專書，如《中國當代親情詩文選》、《2015年最佳散文選》、《我們這一班》等，非常感謝每個刊物及主編給我的機會。

　　同時也感謝武漢的王常新詩評家、教授，台灣的胡爾泰詩人、教授為本書作序，文史哲出版社願出版此書。當然也感謝您的閱讀。

（二〇一五年雙十節）